日本の歪み

養老孟司×茂木健一郎×東 浩紀

講談社現代新書

2719

はじめに

　とても興味深い鼎談だった。読者にとっても、そうであればいいと願っている。顔ぶれが東浩紀と茂木健一郎という二人の俊英と、養老孟司という時代遅れの老人なので、私にしてみれば駿馬二頭立ての馬車に乗せられたようなもので、私が馭者役《ぎょしゃ》をしなければならないかと思ったのだけれど、お二人の話が面白くて、話についていくだけで、老人としては精いっぱいだった。元来私は馭者役が苦手で、実際に馬に乗ると、馬はまず道草を食いだす。続いて馬が自分の気の向くほうに走って行ってしまう。何事であれ、私には他者をコントロールするということができないし、する気もない。その対象は人に限らない。だから実験科学は嫌いだった。

　本書は、近代以降の日本社会の歪みが主題で、この本の中に主な問題点は、ほぼ出尽くしていると思う。具体的には目次を見れば歴然としている。当然語り足りない部分も多いが、それについてもっと深掘りすると、長くなりすぎる。

　日本社会の歪みのようなテーマを考えるときに、以前から気になっていたのは、自分の立ち位置である。そういう主題を考える自分は、いったいどこに立っているのか。「すべての歴史は現代史である」という文章を読んだことがある。現代の人間が書くんだからそうなる、ということだと思う。

私自身についていうなら、「日本社会の歪み」という課題は、生涯を通じて一貫して意識してきたことである。いま生きている自分が考えることを、なぜ素直にそのまま信じられないいんだろう。日本社会について考える機会があると、いつもそういう疑問が浮かんできた。端的に言えば、「私が正しいのか、世間が正しいのか」ということである。この「世間」にはグローバリズムでいう「世界」も含まれている。

いたずらに馬齢を重ねて、八〇代の後半になってしまったが、いい加減に「自分がそう考えるのだから、それで仕方がない」という境地に達してもいいと思う。ところが、これまではそうならなかった。それは、問題を「日本社会の歪み」に転化してきたからかなあ、と鼎談が済んで思った。

「歪み」という主題が成り立つためには、「歪んでいない」という状態があるはずだ。ところが現実には、「歪んでいない」状態が客観的に規定されているわけではないから、どれだけ世間がおかしいと思っても、自分が不適合なのかもしれないという思いは否定できない。

猫とか虫とかだったら、元よりそういうことは考えなくて済む。虫や猫に対しては、そういうもんだから仕方ないと素直に思える。相手を変えられるとは思っていないからだ。しかし、人間は相手を変えられるし、自分自身をも変えられるから、なかなか割り切れない。

だから今回の鼎談まで、その種のことはできるだけ考えないようにしてきた。それでも、どこかに普遍性を担保する基盤があるはずだと、世間が押し付けるものとは別の普遍性を探ろうともした。いまにして思えば、どこかに正しさがあるという思い込みこそ、「近代日本社会の歪み」そのものだったのかもしれない。

私自身にとって、この鼎談は自分が自分であることを許容する気持ちになれたという点が最大の収穫だった。世間か自分のどちらかが正しいという見方をやめて、世間も自分も含めて現状を受け入れることができるようになった。別に開き直りではない。素直にそう思ったのである。

現在の社会が、いろんなことが複雑に絡まり合った結果としての、いわば歴史的な必然なのだとしたら、同時に、現在の自分もまた、歴史的な必然だということになる。世間も自分も、それぞれがやむを得ずそうなっているならば、どちらもそういうものだと思うしかない。どちらかが正しいと片をつけられる問題ではなかったのだ。

歴史を必然と考えたのは、戦後でいえば小林秀雄である。彼が戦争について「俺は反省しない」と言って口をつぐんだのは、背後にそういう考えがあったからだろう。必然に対しては反省しようがないからである。

これは、自然に普遍性のようなものを見出す日本の伝統的な考え方に近いのではないかと思う。漱石の言う「則天去私」の「天」も、いまの言葉でいえば自然だろう。しかし、現代社会は自然を徹底的に排除してきた。

逆に、こうでなければならない、というのが強かったのが三島由紀夫である。三島は自然を持たない人だった。自然には「こうあるべき」というのはない。どんなに変わった生態であれ、存在する以上そういうものである。三島は社会にどっぷり入り込んでしまって、人工的な世界しか生きる面がなかったから、そういうニュートラルなところに戻れず、極端にならざるを得なかったのだろう。

自分の子供を見ていると、ああすればいいのに、こうしたらいいのに、と思うことがよくあるが、最終的には色々あってそうなっているんだからしょうがない、といわば諦める。私はようやく、そういうふうに自分自身を捉えられるようになったのである。

もはや人生、残り少ない。だからそれでいいのだと思う。そうでないと、ただの頑固爺にしかならないではないか。

茂木さんは比較的古くからの知り合いで、東さんはゲンロンカフェで一度お会いしたことがあるだけだった。人文科学系の人が私は苦手だったが、東さんは良い意味での常識家で、安心してお話ができたと思う。いまの若者なら、勉強になりました、とご挨拶するところである。お二人にお任せしておけば、日本の将来は安泰だ、という気がする。どうせ私はお先に失礼することになるからである。

最後になるが、このややこしい内容の鼎談を企画し、まとめてくださった編集者の西川浩史さんとライターの今岡雅依子さんには感謝しきれない。まことにありがとうございました。

養老孟司

目次

第三章　維新と敗戦

第四章　死者を悼む

第五章　憲法

第六章　天皇

第九章 あいまいな社会

構成／今岡雅依子

第一章　日本の歪み

厄介なとっかかり

茂木　第三次安倍内閣が集団的自衛権をめぐる安全保障関連法案を強行採決した二〇一五年、僕は国会前に行って忌野清志郎の歌を歌ってきました。なぜ行ったのかといえば、僕は法学部を出た法学士でもありまして、長谷部恭男[1]という日本の憲法学の大家が安保法案を違憲だと言い切っていたので、法学士の端くれとして筋を通しておこうと思ったのです。でも後で考えてみると、日本の憲法学全体が「歪み」の上に成り立っているのではないかと思うようになりました。

加藤典洋さんが『敗戦後論』で書かれているのは、GHQが英語の憲法原案を持って来て、外で待っているから一五分以内に回答しろと言った、というエピソードです。ここでのGHQとのやりとりについては諸説あるものの、平和主義を謳う日本国憲法が、原爆という暴力的な武器を背景にした脅しによって成り立ったものであることは事実です。その矛盾した原点を見ないで、いかに後付けで整合性をつけるかということを、日本の憲法学はやってきたのだと気付きました。

そう考えると、俺はなんのために国会前に行って、日本の憲法学者に操を立てて歌を歌ったのだろうと思えてきました。東さんは安保法案反対デモには一貫して批判的でしたが、そういう思いもあったのでしょうか。

東　自衛隊はどう考えても「戦力」です。改憲し、自衛隊を戦力ときちんと認めた上で、武力行使に制限をかけるべきだと僕は昔から思っています。ところが護憲派の人々は、憲法は歪んだ状態のまま放置するのが正しいと言う。日本は歪みを正すこと自体ができなくなっています。

憲法九条を守る組織として「九条の会」という団体があります。井上ひさしさんや梅原猛さん、大江健三郎さんといった戦後日本を代表する知識人が呼びかけ人となり、二〇〇四年に設立されました。その起源を調べていて驚いたのは、アメリカで作られた組織「九条の会（Article 9 Society）」が影響を与えているようだということです。アメリカのArticle 9 Societyは湾岸戦争終結後の一九九一年に、日本国憲法第九条から名前を取ってチャールズ・オーバビーという人物によって作られた反戦団体です。日本でも著書が刊行され、翌一九九二年には日本事務局（「第九条の会」）も発足し

1　長谷部恭男（一九五六－　）：法学者。早稲田大学教授（憲法）。国際憲法学会副会長。

ています。「九条の会」と「第九条の会」の関係はよくわからないのですが、少なくとも時系列としては九条への注目自体逆輸入のかたちになっているわけで、日本の護憲の歪みが象徴されているように思います。

右も左も、いまの日本は内発的に自分たちの価値を肯定し、守るということができていない。いまだに「外圧」頼りで、そこはじつは護憲派も変わらない。これこそが日本の問題ではないでしょうか。このあたりを議論のとっかかりにできればと思います。

養老　とっかかりとしては厄介な問題ですよ（笑）。厄介だから、これまで考えないできたんです。そういう問題に立ち入りたくなかった。

茂木　養老先生は終戦後、教科書に墨を塗った経験がおありです。いままで正しいと教えられてきたことの全否定を、身をもって体験された。

養老　はい。その教科書に墨を塗った世代が日本の政治をやってきました。橋本龍太郎さん、小渕恵三さん、森喜朗さんという歴代首相はみんな僕と同い年です。僕らの世代が歪みのままに、戦後日本を抱えてきたとも言えます。

茂木　養老先生は軍国少年だったのですか。

養老　終戦時が小学校二年生ですから、そこまで入り込めませんでした。でも、八月一五日はびっくりしました。

東　負けるとは思っていなかったということですか。

養老　そうです。さんざん日本軍が勝っているというキャンペーンをやっていましたから、子供ですから裏は考えずに素直に受け取っていました。阿部謹也[2]さんは僕より二つ上ですが、「おばあちゃんが戦争に負けると言っていた」そうですから、そういうインテリな家もあったみたいですけどね。

茂木　家ではそういう話題は出なかったのですか。

養老　親父は戦争中に死んでいるので、親父が生きていたらなんて言っていたかわかりませんけど、母は政治的なことに一切関心のない人でしたから、何も言いませんでした。医師会の役員もやらないという人で、僕は完全にそれを受け継いでいます。

そういう意味では、最初に歪みを感じたのは終戦の日です。負けるということを考えもしなかった状況でしたから、「なんだ?」っていう。騙されたという感じより

2　阿部謹也（一九三五－二〇〇六）：歴史学者。専門はドイツ中世史。一橋大学名誉教授・元学長。

も、ただ本当に膝の力が抜けるという感じ。その経験があるから、政治的社会的なことは一切信用しないほうが無事だなという態度になったのだと思います。でも、自分が生きている社会と距離を置こうと思うのは、本当は相当変ですよね。それでも、自分がいま生きている社会に素直に入ることができなかった。

茂木　僕は赤塚不二夫さんが好きなんですが、彼は満州からの引き揚げ者ですね。あの底抜けの明るさやアナーキーさは、満州で味わった壮絶な経験から来ているのかもしれないと想像します。

養老　満州国がなくなって、ソヴィエト軍、国民党軍、中国共産党軍が来る。目の前で国が瓦解して、支配者が変わるのを何度も見た連中が、国を信用するかという話です。敵味方が入り乱れ、人もたくさん死にました。そこからどうリハビリしていったかについて、彼らにもっと話を聞いてみたかったです。

茂木　統治機構やインフラといった、当然だったものが突然なくなるわけですからね。

養老　なくなることより、なくなったものをどう作り直すかに四苦八苦するわけです。日本をどうするというのも、僕なんかは、政治思想とか高級なことじゃなくて、食い物を確保することから始まる具体的な日常が作っていく気がしているんですよ。今日の飯に、どこから何を調達してくるか。それが万事の始まりですから。僕はそれでずっと生き延びてきたから、そういう感覚に対して肯定的になっています。

日本の変化

茂木　僕はどちらかといえば自分はリベラルだと思っていたのですが、この数年で社会との関係性の受け止め方がすごく変わった気がしています。安保法案の頃は、護憲とか改憲とかについてリアリティがあったのが、いまはほぼなくなりました。僕は、このような経験から、最近は「右」でも「左」でもなく、「インテリジェンス」という言い方をするようになりました。ここで言うインテリジェンスは、「知性」という意味でもあるし、情報を収集して判断するいわゆる「諜報」という意味もあります。東さんはそういう心境の変化はありますか。

東　僕もここ二、三十年の日本の空気の変化には戸惑います。天皇制にしても、平成期は日本人の天皇に対する感覚が大きく変わった時期で、多くの人が天皇や皇室に親近感をもつようになりました。僕が高校生だった一九八〇年代あたりは、天皇制反対と言ってはばからない左翼系知識人はたくさんいました。いまは誰もそんなことは言いません。むしろ安倍政権期に入ってからは、天皇のほうが政権よりも「リベラル」で、左派は天皇に頼るべきという言説すら出てきた。内田樹さんなんかは「天皇主義者」と自身を評しています。

加えて、昔は右派といえば保守でナショナリズムを大切にし、左派のほうがグローバリズムだったのが、いまは右派こそ新自由主義でグローバリズムを謳い、左派のほうが国民国家の利害を大切にしろと訴えるようになっている。そういう歪みもあります。

茂木 養老先生は、天皇に対する日本人の態度の変化はどうお考えですか。

養老 変わってきたのは感じます。ただ僕らが子供の頃は神でしたから、神から人になった変化が大きすぎて、それ以外の変化は小さく思えますけど。

上皇はさぞかし大変だっただろうなと思います。日本の戦後の歪みを引き受けて、頭の中にどうやって収まりをつけたのだろうか。昭和天皇を見てこられて、思うところが多かったのだろうと想像します。

東 平成の天皇、つまりいまの上皇はたしかにリベラルな方です。美智子さんという民間の、しかもカトリックに親しんだ人を后にしたことにも表れている。しかし、「リベラルな天皇」そのものが語義矛盾のような存在です。さまざまな歪みがそのまま放置され、まさにそれを象徴する存在として平成の天皇がいらしたのだと思います。平成が終わって、歪みが正常化するのかどうか。

茂木　令和になってすぐコロナが来て、コロナの空白がちょうどいい具合に働けばいいのですが、ウクライナ戦争が起きたり、防衛費倍増と言ったり、世相は明るくないですね。僕は、この日本の歪んだ暗闇に光を照らすのは、右とか左とかそういうイデオロギーではなく、インテリジェンスだと信じているのですが。

防衛費は増やすべきか

東　二〇二二年七、八月の調査では、日本の「防衛力強化」に賛成する人が七割を超えています（読売新聞、早稲田大学）。そのさらにまえ、ウクライナ戦争勃発直後の二〇二二年四月の調査では、現在ＧＤＰ比１％程度である防衛費を「ＧＤＰ比２％以上に引き上げる」ことについても、55％が賛成している（日本経済新聞）。いまはまた増税反対の流れで世論が変わりつつあるようですが、約一年前には半数以上の人が、防衛費は二倍に増やして構わないと考えていたことになります。

茂木　日本で防衛費を増額するというときに問題なのは、それがともすれば技術を開発するためのお金ではなく、アメリカの武器の買い手にしかなりえないところだと思います。日本は軍事関連技術には大学はコミットしないという伝統がありますが、アメリカでは自動運転の技術をはじめ、新技術の開発には国防総省のDARPA（国防高等研究計画局）から大学などの研究機関へ、かなりの規模のお金が出ています。スペースXだってイーロン・マスクの手柄のように思われていますが、実際にはＮＡＳＡが巨額の発注を行うことで支えている。宇宙関連技術は軍事技術と区別がないわけで、ミサイル開発者とロケット開発者は同じコミュニティにいる研究者たちです。当然ドローンやＡＩも然りで、新技術それ自体には民生用か軍事用か、という区別なんてありません。日本ではそれが区別できるというフィクションのもと、科研費が割り当てられてきたわけですが、研究開発への態度はそのままでいいのか。

一九五七年、当時のソ連が人類初の人工衛星、スプートニクを打ち上げました。いわゆる「スプートニク・ショック」ですが、この時用いたロケットはＩＣＢＭです。だからこそ、単に科学技術が進んでいるという以上の危機感を西側に与えた。英語では、この事象を「スプートニク危機」と言います。「キューバ危機」と同じです。日本語圏では「ショック」と名付けることで何かが隠蔽されているんじゃないでしょうか。

もちろん技術がどう使われるかは別の問題で、アインシュタインもオッペンハイマーもそれで苦悩したと言われますが、いずれにせよ、そういうところまで議論しない限り、防衛費を二倍にしたところで「アメリカからたくさん武器を買いました」というだけで終わりかねないですよね。

東　僕は、自衛隊は合憲化するべきだし、学術会議も軍事研究を認めるしかないと思っています。しかし、日本のリベラルは絶対に認めない。ギャップが埋まるまでの道のりは長いと思います。茂木さんの懸念される通りになるのではないですか。

養老　そこで頑張る人はどのくらいいるのですか。

東　多いと思います。そういう人は上の世代に偏っていて、いずれ世代交代するものだと思っていました。しかし、どうやら再生産されているようです。かつては視野が広かった人が、年齢が上がるにつれ頑固な左翼になっていくのを見るにつけ、これは「世代」の問題よりむしろ「年齢」の問題なのかもしれないと思えてきました。

養老　大学紛争のとき、学生が全共闘の暴力に対抗すると言って、何をするのかと思ったら竹槍の訓練を始めたことがありました。だから、その感じはとてもよくわかります。「非国民」とか「竹槍」とか、そんなものはなくなると思っていたものが世代を超えてまた出てくる。柳田國男の世界になっちゃうけど、根っこにそういうのがあるんじゃないでしょうか。

東　右翼的な「竹槍」みたいなものが根っこにある一方、左翼的な「絶対反対」もまた根っこにある。なかなか変わらないですね。

天災が歴史を変える

養老　日本がガラッと変わる節目には災害があります。大正時代は消費社会の始まりで、非常に明るい雰囲気だったのが、突然軍部一辺倒になって戦争の時代へと突き進む。これは日本近代史の不思議の一つとも言われますが、その境目には関東大震災がある。

一八五四年の安政の大地震も、嘉永から年号を変えるくらいの大変な被害が出た地震ですが、その四年後には安政の大獄があり、倒幕運動に続いていく。

茂木　安政地震は、東海地震と南海地震がいっぺんに来て大変な地震だったといいますよね。あの地震がなかったら幕末から明治への移行も少し違った形だったかもしれないし、時期ももう少し遅かったかもしれない。そう考えると自然の人為に対する影響は大きい。軍部の暴走や二・二六事件なんかも、関東大震災がなかったら違う状況になっていた可能性があったかもしれないということですよね。

東　関東大震災は首都を壊滅させたわけですから、違っていたでしょうね。

養老　日本の近代史を支配しているのは天災とも言えるんです。

茂木　それこそ歴史の記述の課題ですよね。歴史は人為の世界のことだけで記述されるけど、本当は養老先生の言うような自然現象がトリガーになっているかもしれない。そのような、自然現象という環境要因の下で人の歴史を考えるというあり方は、たとえばジャレド・ダイアモンドの『銃・病原菌・鉄』に通じる視座かもしれません。

東　関東大震災の直前には第一次大戦があって、ヨーロッパが疲弊していました。一方で日本は軍需特需で儲かっていて、お金があった。藤田嗣治とか、あの時代にたくさんの文化人がフランスに留学していたのもそういう理由です。それが関東大震災で全てポシャってしまった。雰囲気は相当変わったと思います。

茂木　阪神大震災や東日本大震災など、大変な被害をもたらした地震はありましたが、やはり首都機能が維持されるかどうかが大きいのでしょうか。

養老　そう思います。典型は『方丈記』に書かれている京都の大地震です。これは一一八五年の文治地震で、M7以上と言われています。しかも本震並みに大きな余震が、あの地震のない京都で続いたことで、都はめちゃくちゃになる。平安時代がなぜ急に戦乱の世に変わるのかといえば、地震のせいです。この国が大きく変わる節目はいつも地震なんです。

戦争の呼称

養老　日本では、この前の戦争の呼び方についても、はっきり定まっていません。政府も陛下も「先の大戦」とぼかして言っています。京都では「この前の戦争」と言えば応仁の乱で、何と呼ぶかは地域や立場によって変わります。

東　保守は戦前通り「大東亜戦争」、リベラルは「太平洋戦争」というのが一般的でしたが、最近はアジアにも侵略したということで「アジア（・）太平洋戦争」と呼ぶべきだということになりつつあります。「アジア」と「太平洋」のあいだに中黒を入れるかどうかすら議論になっていると聞きました。

茂木　「第二次世界大戦」とよく言われますが、これはヨーロッパ視点の戦争ですね。ドイツがポーランドに侵攻した年（一九三九年）を起点にするから、日本の戦争とは時期がずれる。

養老　日中戦争から含めて「十五年戦争」という言い方もあります。十五年戦争と言うときは、満州事変の発端である柳条湖事件（一九三一年）から一九四五年までを数えて一五年ですが、日中が軍事衝突した盧溝橋事件（一九三七年）から日中戦争が始まるという考え方もあります。

東　あの戦争の起点を満州事変とするのか、盧溝橋事件なのか、あるいはアメリカに宣戦布告をした真珠湾攻撃（一九四一年）とするのか。起点をどこに置くかでも議論が分かれている。この前の戦争ですら、起点も名前もはっきり定まっていないところに、日本の歪みが象徴されているのかもしれません。

明治維新と敗戦

茂木　日本は近代の短い間に二度、ネイションビルディングをしています。一度目が明治維新で、二度目が敗戦後です。二回とも、急激な価値観の転換を行って、少なくとも表面上はあまりにもうまくいってしまった。

アメリカからしたらあまりに日本の占領政策がうまくいったので、その後のベトナム戦争にせよ、イラクにせよ、うまくいかなかった対外戦争の履歴が理解できないほどです。『敗北を抱きしめて』という名著もありますが、なぜ日本はあんなにガラッと全てを変えてアメリカを受け入れられたのか。なぜ日本は、少なくとも表面上はうまくいったのかを整理しておくべきだと思います。

養老　やはり、「ご破算で願いまして」をやってきたからでしょうね。

茂木　すべてなかったことにしてやり直したら、一見うまくいったということですね。

東　すべてご破算にしてやり過ごすという資質は、うまくいく部分もある一方で、社会の生きにくさも作っていると思うので、僕はあまり好きじゃないです。

茂木　表面上はうまくいったように見えるけれども、本当になかったことにはできずずっとそこにあったことが、社会のあちこちに歪みとして表れている。それをずっと解消できずにいるのが現在の日本ですよね。

さきほど養老先生は、そういう問題について考えたくなかったとおっしゃいましたが、『ヒトの壁』というご著書では、戦後の社会自体を心理的に抑圧していたと書いておられます。

養老　結局、ないことにしていたんですね。その時だけのことでしょ、と考えて、ないことにする。

茂木　戦後社会をないことにする、ってすごいことですね。でも、確かに、それは日本人の無意識の抑圧の構造だったかもしれない。

養老　だって考えたくないでしょう。それを考え始めると、戦中、戦前はどうだったかという話にどうしても戻ります。日本の歴史をちゃんと見なきゃいけないとか、こうあるべきだとか、あたかも戦中や戦前の代表みたいな人がたくさん出てくる。

そういう人は、むしろいまのほうが多いかもしれないですね。なんでこんなに話が宙に浮いているんだろう、と思います。

東　戦争から時が経ち、記憶を語り継ぐ人がいなくなったからではないでしょうか。日本だけの話ではなく、今回のウクライナ戦争で核兵器の話が出てくるように、いまはどこでも先の大戦の記憶が薄まっている。冷戦が世界大戦に発展しなかったのも、冷戦後ある程度平和だったのも、要は第二次世界大戦がすごく痛手であり、その戦争から時間があまり経っていなかったから、というだけの理由だったのかもしれません。

しかし人は死ぬものである以上、忘れていくことはどうしようもない。だから、再び大戦争が起こり、日本が巻き込まれる可能性は大いにある。僕はいま五一歳ですが、あと二〇年くらい現役だとすると、その二〇年のあいだに戦争が起きるかもしれない。戦争について考えなきゃいけない晩年が来るのかと思うと本当にうんざりします。

養老　その二〇年で確実に来るのは南海地震ですよ（笑）。

東　そうかもしれません。しかしこの一年、戦争の可能性が現実に見えたことが本当に憂鬱です。考えたくないですね。

養老　そういうことあるでしょう、考えたくない。

茂木　よくわかります。でも、できれば考えたくない日本の歪みについて、これから考えていきましょう（笑）。人間の脳では、抑圧しているものは遅かれ早かれより強く意識に組み込まれ復讐してきます。むしろ、トラウマなどはじっくりと向き合って、再解釈をしていったほうが良い。歪みを、落ち着くべきところに落ち着かせないと、私たちの命はいつまで経ってものびのびとしたものにならないかもしれない。

養老　嫌ですね（笑）。でも、あの戦争について語りたくはないけど、整理したい気持ちはあります。

茂木　では、まず戦争の話から始めましょうか。

第二章　先の大戦

戦争の経験

茂木　養老先生は盧溝橋事件のあった一九三七年に生まれ、八歳の年に終戦を迎えられています。子供ながらに戦況の推移はわかりましたか？

養老　詳しいことはほとんどわからなかったですね。ただ、鎌倉には海軍の人が結構住んでいましたから、船を沈められてかろうじて帰ってきた現役の兵隊さんのことは覚えています。海軍の糧秣《りょうまつ》（軍隊の食料）には当時なかなか食べられなかった甘いものが入っていて、それを楽しみに待っていました。本人は死にかけたところを危うく命拾いして戻ってきて、それどころじゃなかったでしょうけど。

でも軍艦が沈められたり、空襲警報が日に日に増えていったり、そういう意味では、戦局がいいわけないですよね。

東　空襲警報が鳴るとどういう感覚になるのですか。

養老　不安ですね。空襲警報というのはサイレンが鳴るんです。僕は三〇歳までずっと、避難訓練なんかでサイレンが鳴ると不安になりました。その時の気分が蘇るんです。だから今のウクライナの子供たちもかわいそうだなと思います。

茂木　爆撃機は見ましたか。戦時中少年だった経営学者の野中郁次郎さんは、爆撃機がきゅっと方向を変えて目的地に向かっていくのを見てとても悔しい思いをしたというお話を以前されていて、心を動かされました。

養老　B29はしょっちゅう見ました。鎌倉は爆撃は受けませんでしたが、夜は横浜への空襲で北の空が明るかった。藤沢も平塚も燃えました。米軍が京都・奈良・鎌倉は空襲しないで残す、と決めていたので、あたりでは鎌倉だけ残った。古都を残すと決めたのは、後に占領するのがわかっていたからでしょうね。

茂木　東日本大震災の津波の痕跡を見て、養老先生が「空襲の焼け跡が一〇分の一くらいになって戻ってきたようだ」とおっしゃったのが非常に印象的でした。逆に、あの津波の一〇倍の規模というと、どんなにひどかったのかと思ってしまいます。

養老　ひどかったですね。

東　焼け跡は空襲直後にご覧になったのですか。

養老　見たのは戦後になってからです。戦時中は小さい子供でしたし、危なくて行かれなかった。横浜はひどかったですね。戦前の東京をよく知っているわけではないですが、地平線が遠くに見えて、東京って広かったんだなと。いま、高層ビルからだと遠くまで見渡せますが、その景色が地面から見えるという感じです。ウクライナの瓦礫の街を見る子供も同じような気持ちでしょうね。

戦争を天災のように捉える日本

茂木　東日本大震災の被害と空襲の被害が似ていたと伺いましたが、日本人は空襲による焼け野原も、人災ではなく天災のように捉えてしまうと言われます。養老先生の実感としてはどうでしたか。

養老　あそこまでくると天災じゃないかな。日本は大災害が一〇〇年に一度くらい来ますから。人のせいにしてもしょうがねえ、って。

東　その感覚は、東京都慰霊堂の展示によく表れています。東京都慰霊堂は、関東大震災の遺骨を納める霊堂（震災記念堂）として、最も被害の大きかった被服廠跡に伊東忠太の設計で建てられました。ところが、現在では同じ建物に東京大空襲の遺骨も納められている。これはどうやら意図したことではなくて、もともとは東京大空襲の遺骨を集めて新しい慰霊堂を作ろうとしたのが、GHQの反対により叶わなくて、最終的に「東京都慰霊堂」と名前を変えて現在の場所におさまったという経緯があるようです。
ただ、結果として日本人の災害観を集約する場所になっている。併設の復興記念館の展示を見ていると、あたかも関東大震災から東京大空襲が一連の流れかのようです。「関東大震災が起きて焼け野原になりました。ようやく復興してきた矢先、こんどは空襲でまた焼け野原になりました。それでも、二度の災害を乗り越え、現在に至るのです」みたいな感じで、震災から空襲までがシームレスに展示されている。
しかし、言うまでもなくこの二つはまったく性質が違うものです。本来は人災である戦争の焼け跡を、天災と同様に捉えることについてはどう思われますか。

養老　受けた側からすると同じですからね。結果的には同じです。

東　ドイツの哲学者のギュンター・アンダースも、日本人について同じような観察を残しています（『橋の上の男』）。彼は一九五八年に広島に行くのですが、当時すでに人々が原爆を地震や洪水のように語り、原爆を投下したアメリカに憎悪を持たなくなっていたことに驚いている。
だから、日本人全体にそういう傾向があるのかもしれません。けれど、僕はやはり人間がやったことと人間がやっていないことは分けるべきだとも思います。養老さんの考えでは、一緒くたになるのは仕方がないということでしょうか。

養老　それは「考え」ではないですね。印象です。そこらへんがたぶん「日本」流の思考の根源にあるという気がします。人為と自然を強いて分けないというか。他人のせいにしても、仕方がないことがある。そういう態度は長い目で見て、自分の為にならない。どうせまた来ますしね。

東　地震が定期的に来るのはやむなしとしても、戦争を天災と同じように捉えてしまうのはどうでしょう。そうなると、なぜアメリカに宣戦布告したのかとか、アメリカの無差別爆撃は正しかったのかなどといった問題について、議論の緒すらなくなってしまいます。根源的な議論を抜きに、ここまでなんとなく来てしまったような国民性についてはどうですか。

養老　国民性かは知らないけど、僕もそれに近いですね。B29が夜、火を吐きながら落ちていくのをよく見ました。今思えば、あそこに乗っている人がいたんだな、どうしたのかなと。なんか僕はそうやって具体的になっちゃうんです。アメリカが、とか思わない。

人間の責任を追及する韓国

茂木　逆に、韓国の人々はよく覚えているというか、もちろん日本が悪い部分がたくさんあったのですが、韓国の日本への怒りを見ると、比較として、日本はアメリカに対して怒らないなと改めて思います。

東　びっくりするくらい怒らないですよね。韓国と言えば、二〇二二年のハロウィンにソウルの梨泰院《イテウオン》という繁華街で群衆雪崩による事故がありました。日本では事故の内容以外あまり報道されませんでしたが、じつはすぐに警察署長と区長が逮捕されている。行政のシステムが違うとはいえ、渋谷のスクランブル交差点で事故が起きたからといって渋谷区長が逮捕されるというのは、日本ではかなり考えにくい。韓国は日本とは全く違う責任の文化をもった国だと思いました。

養老　これは憲法の問題とも関係していると思いますが、システムとか言葉で実情がどれだけ規定されているか、その感覚の違いじゃないでしょうか。つまり、梨泰院の場合も、「あの場所にあの状況を作ったのは人だ」という確信が彼らにはあるのでしょう。日本人はあんまりそれがなくて、ああなっちゃった、となる。だから区長にもそこまでの責任を追及しない。

東　それもやむなし、と。

養老　そういうもんだ、っていう。

茂木　こんなに近くにありながら、日本と韓国ではかなり感じ方が違いますね。そのことが、東アジアの中の文化的多様性という意味では全体として強靱さに結びつくことにもなるし、一方では、すでによく知られているような摩擦を生むきっかけにもなる。

養老　地理的な要因が大きいのではないでしょうか。韓国の場合には中国の都市文明が直に入ってくるから、咀嚼している余裕がない。文字にしても、中国語は韓国では外来語でしかないけど、日本はもっと内部に取り込んで自分のものにした。日本で言葉と現実に乖離が生まれやすいのも、中国から文字をもらって、自分で作っていないということが大きいような気がします。かな文字は日本独自ですが、それも漢字の応用ですから。

ウクライナの報道でミサイルなんかを打ち込まれた建物を見ると、「土建屋が怒ってるだろうな」と思うわけですが、怒るのは「あんなに苦労して作った建物をこんなにしやがって」という感覚があるからです。日本の場合は社会システムについても、一から作り上げたものという感覚も、壊されて腹が立つという感覚も、わりと薄いのではないでしょうか。

茂木　文字からして借り物で、まさにフローティング・ワールド（浮世）だと。カズオ・イシグロの小説のタイトルにも含まれるなど、「浮世」は日本人の世界観を表す言葉として国際的に認知されていますね。

養老　外国に行くと、僕のほうがびっくりすることがあります。例えばハイデルベルクの教会に入ると大きなステンドグラスがあって、聖書の文言とアインシュタインの「$E=mc^2$」の公式とともに、広島に原爆を投下された日付が入っている。「人の力がどのくらいのものか」ということについての考え方が、きっと違うんでしょう。

それもまたやむなし

東　養老さんとしては、そういう日本人の感覚はやむなし、と諦めているのか、それとも積極的に良いと思っているのか、どちらなのでしょう？

養老　積極的に良いも悪いも、しょうがない、ということですね。そういうもんだと思って観察したほうが、日本という社会に対しての予言力が高いんじゃないかと。

東　なるほど。しかし、それはかなり珍しいタイプの文化ですよね。とりわけ冷戦後では「記憶」が政治のテーマになってきます。過去の事件を掘り返し、自分たちの被害性を強調するというのが世界的なトレンドになっている。今回のウクライナとロシアの戦争も、ある意味で歴史解釈戦争みたいな側面があります。

「記憶する」ということは世界の政治を動かす大きな原動力であると思うのですが、「しょうがない」と終わらせてしまえば、日本はゲームそのものに乗れないということになってしまう。それもまたやむなし、なのでしょうか。

養老　そうですね。

茂木　従軍慰安婦の問題については、養老先生はどうお考えですか。

養老　兵隊に行っていた知り合いが、「俺があいつらにいくら払って、俺の給料がいくらだったと思ってんだ」と言っていました。当時の価値観で、そういう問題ではないんですけども。

茂木　普遍的価値観としていい悪いの問題ではなく、その方が個人の経験としてそう感じた、ということですね。

養老　何が悪いのかを遡ると、そもそも東アジアに西洋文明が大きく入ってきたのはアヘン戦争からですから、清がしっかりしなかったからだ、ということになってしまいます。それをやりだすと切りがない。だから僕の頭の中ではやらない。要するに、自分の関係するところで起こったことを人のせいにするな、ということです。

東　慰安婦問題についてはもう少し厳密に話したほうがいいと思います。

ただ、繰り返しになりますが、いま僕たちが直面しているのは、加害と被害の関係をはっきりさせることが戦略的に有利になる世界です。たしかに現実は養老さんのおっしゃる通りで、どんな事件でも加害者と被害者が簡単に明確に分かれることはあり得ない。しかし、それでもあえて「被害は絶対だ」と言うことが、大きな政治から小さな政治まで、戦略的に非常に強くなっている時代です。

そういう世界で、すべては成り成りて成った、とか言っていると防衛力が低く、大きなところから小さなところまで全てで負けていくことになります。そういう意味では日本のその感覚はあまり役に立たない。これは日本の戦争責任や慰安婦問題に限った話ではなくて、あらゆるところで起きている話だと思うのです。

自由意志は存在するか

茂木　この議論は非常に面白いので、少し別の視点から話します。脳の研究をしている立場からすると、そもそも人間には「自由意志」は実体としてはなく、すべては幻想であるとも言えます。脳の神経細胞の活動を記述する法則は、徹頭徹尾物理的、化学的に書けるのであって、人間の意識で左右できるものではない。そうなると、ある行動をとったからと言って、その人の意識的自己に対して倫理的な批判を加えることの理論的根拠は精査が必要です。もちろん、刑事法など、人間の文化は自由意志という「フィクション」に基づいて運用されているわけですが。

東　僕も究極的には自由意志はないと思っています。

茂木　養老さんは自由意志はあると思いますか？

養老　ないない。

茂木　ない、ということで意見が一致しました。そこで東さんに聞きたいのは、いまのアイデンティティ・ポリティクス[3]が、科学的な世界観と整合性が取れないかもしれないことについてです。一般に政治的な正しさを、一人ひとりの自覚や意識的選択によって実現しようというアプローチは、理論的な根拠が脆弱です。

東　ここで僕が自由意志のことを話すのも資格がない感じがしますが……僕の考えでは、自由意志というのはレトロスペクティブ（遡行的）にしか現れないものなんじゃないかと思います。これは素人の推測でしかないのですが、進化の過程において、意識というのはそもそも、過去の行動で失敗したときに、それを捉え返すプロセスにおいて生じたものではないかと思うのです。何かを決定して行動するという前向きなものではなく、何かを後悔し、「あのとき別のことができたかもしれない」という後ろ向きの働きが、意識というものの基本的な構えなのではないか。

茂木　素晴らしい。自由意志というのは、まさに、脳が後付けで行う「ブックキーピング」のようなものであると考えられています。つまり、自由意志があってある選択や行動が生じるというよりは、脳が無意識を含めた一連のプロセスで選択したものを、後から追認し、理由付けし、物語化するのが自由意志だと考えられるのです。

東　僕は脳科学も認知科学も専門的に学んでいませんが、こういうアイディアを持っているのは、もともと研究していたジャック・デリダという哲学者が、フッサールの

3　アイデンティティ・ポリティクス：文化、民族、性など、個人の属性や所属に基づく政治的活動や主張。

研究者であったことに関係しています。フッサールは現象学の創始者で、人間の感覚に今この瞬間に与えられているものが意識の基礎にあると考えました。でもデリダは、そこには時間的な遅れというのが必ず入るはずだと疑義を呈した人です。僕はその議論がけっこう好きだったんですね。

つまり、人間は、デカルトが言ったように「いま考えている、だからいま存在する」ということはなくて、「いま」という時間を少し遅れて作ることによって「いま考えている」を作っている存在なのではないか。行動より少し遅れて「こう考えて行動したはずだ」という意志が作られる。「主体として一貫している」という幻想を作るシステムが人間にはあるのだと思います。「国の主体性」も同様に、基本的にレトロスペクティブに作られている。

養老 だいたいそんなところですよね。理屈は後知恵だということです。

茂木 東京裁判の構図も後付けのように思えます。後付けで何かを認識したり判断したりするのは、生の現場から最も遠いと思います。

養老 バカみたいだよね、本気でやっているのかよと。

東 「後付け」と聞くと嘘のように感じてしまいますが、じつは全てが後付けなんですよ。そこが大事なところですね。

養老　そうですね。

東　後付けがなくなったら主体性も何もかもなくなってしまう。その点において、さきほど茂木さんはアイデンティティ・ポリティクスは科学的世界観と整合していないとおっしゃったけど、僕はちょっと意見が違う。僕たちは自由意志とか主体とか責任というフィクションを、社会秩序を作るために必要としている。だから一周して、後付けでいいから責任は問うべきだし、自由意志もあると考えるべきである、というのが僕の主張で、同じところに戻ってくる。

茂木　自由意志はないけれども、自由意志のあるなしと関係なく、社会秩序を作るために責任は問うべきだと。

東　そうです。「自由意志は後付けだ」という自然科学的な認識と、「自由意志はある」という法的・社会的な制度上の要請は、全く両立するということです。

茂木　すごく面白い議論です。そのような視点が、例えば、人工知能と人間の関係性における倫理問題とも絡んできそうですね。

東条英機の凡庸な悪

茂木　東京裁判（一九四六－四八年）の最終判決が出たのは養老先生が一一歳のときですが、覚えていらっしゃいますか。一二月二三日に東条英機をはじめとするA級戦犯七名が処刑されました。

養老　報道があったのは覚えていますね。

茂木　東条英機さんはどういう印象の人だったのですか。

養老　あんまり人気のある人ではなかったですね。人々が贅沢していないか「ゴミ箱を覗く」って言われていたくらいで、細かい小役人みたいなイメージじゃないかな。律儀な人だったらしいから、きっとそういうところが揶揄されたんでしょう。

茂木　そういう人が戦争遂行時の首相になったというところに日本の運命を感じてしまうのですが……。例えば当時のイギリスの首相はチャーチルで、アメリカはルーズベルト。今だったらゼレンスキーとプーチンです。この人たちに比べると東条はどうですか。

養老　全然違いますね。でも運命というより、日本という国は手続き的に動くのだと思います。東条さんはそういうところがきちんとしている人だったから、首相になれたんでしょう。手続きというのは具体的な細部ですから、それをきちんと動かすには、その人自身が機械の部品みたいでなければならない。逆に、だからこそ戦争を遂行し続けられた。東条みたいな人でなかったら「もうやめよう」と言っていたでしょうね。

茂木　官僚のトップのような首相が戦争の歯車を回し続けてしまったと。

東　今の話は、ハンナ・アーレントがアイヒマン裁判について書いたことを思い起こさせます。アイヒマンはナチスの幹部で、ユダヤ人を収容所へ列車で移送するシステムの責任者だった人です。彼はアウシュビッツなどさまざまな収容所へ向け、いかに列車を正確に動かすかということをやっていた。これは大量虐殺において非常に重要な仕事です。戦後、アイヒマンは逃亡しますが、一九六〇年に「ナチの最後の大物」としてアルゼンチンで逮捕され、イスラエルで裁判にかけられます。しかし、裁判では終始、小役人的なことしか言わない。アーレントはそれに衝撃を受け、『エルサレムのアイヒマン』という本を書いた。

そこで最終的に彼女が言ったのが、有名な「凡庸な悪」という言葉です。アイヒマンは偉大な悪ではなかったが、凡庸な悪だった。凡庸であることは自動機械になってしまうということで、それが現代の悪の最も怖いところだということです。いまのお話を聞いて、東条さんも凡庸な悪だったのかなと思いました。

養老　そうですね。そうだったと思います。

天国と地獄のあいだの戦後

茂木　敗戦で転向した人たちがたくさんいた一方で、「僕は反省などしない」と言った小林秀雄のような人もいます。養老先生はどちらだったのですか。

養老　「前」がないから、どちらでもないですね。江藤淳[4]から上くらいの世代だと戦前の教育をしっかり受けているから「前」があるけど、僕らはない。すごく変な世代なんですよ。

　これまでの話もそうですが、いろんなことが集約されて一つの結果が生じる。でも「いろんなこと」の背景が、終戦を八歳で迎えた僕の世代と、一三歳で迎えた江藤淳と、二七歳だった堀田善衛[5]ではかなり違うわけです。

茂木　カトリック教会に「辺獄」（Limbo）という概念があります。養老先生のお話を聞いていて、なんだかそれを思い出しました。辺獄というのは、洗礼を受けていない子供が行くとされる、天国と地獄のあいだの場所です。洗礼を受ける前に死んだということは原罪のうちに死んだことになる。でも幼児なので現世での罪はないし、洗礼を受けていないことも自分の責任ではないから、地獄とは別の場所に行くと考えた人たちがいて、辺獄という場所が想定された。

　つまり、自覚的な軍国主義少年になるほど自我が確立していなかったから、転向した側でもないし、反省しないでそのままいった側でもない。どちらにも行けない、辺獄のような感じですね。

養老　その感じは、戦後の社会で生きにくかったことに通じているのかもしれません。

占領下の生活

茂木　戦後、ＧＨＱが入ってきたとき、英語が急に社会に入ってきた感じはありましたか。落語家の川柳川柳《かわやなぎせんりゅう》さんの持ちネタ「ガーコン」は、戦争中、最初は威勢の良

4　江藤淳（一九三二‐一九九九）：文芸評論家。保守派の論客として戦後民主主義を批判した。東京工業大学名誉教授。

5　堀田善衞（一九一八‐一九九八）：小説家。中国上海で終戦をむかえ、一九四七年に帰国後、作家活動に入る。

い軍歌ばかりだったのが戦況が悪くなると暗い音楽になり、それが戦後一気にジャズのようなかつて「敵国」だったアメリカの音楽が入ってくるという変化を鮮やかに描いた傑作でしたが。

養老　そうですね。それまで「敵性言語」として無理やり英語を消しているところがあったから。カレーライスは、軍隊では「辛味入り汁かけ飯」だった。

茂木　辛味入り汁かけ飯！　逆にオリジナリティがありますね！

東　海軍カレーとか言っている場合じゃないですね。「辛味入り汁かけ飯」という名前を復活させたほうがいい（笑）。

茂木　サンフランシスコ平和条約の発効が一九五二年なので、日本は七年近く占領下にあったわけですが、占領下の生活はどんな感じだったのですか。

養老　食うのに精一杯でした。とにかく食べるものがなかったから、僕はほとんど川で魚とかウナギを釣ってました。

茂木　それは食べるためですか？

養老　そうです。鎌倉にもウナギがたくさんいたんですよ。パラオの深海から、鎌倉まで来ていたんですね。

東　ウナギは海で繁殖して川に戻って来るんですか。なんでずっと海にいないんだろう。

養老　海でも川でも生きられますから。パラオの深海で生まれて川に来ます。

東　不思議な生き物ですね。

養老　そういう魚はけっこういますよ。

「國體」から「国民体育大会」へ

東　さきほど、日本は文字からして借り物で、社会システムを自分で作ったという感覚が薄いというお話がありました。「天皇」という言葉も、それまでは「オオキミ（大君・大王）」だったのが、七世紀頃に律令国家とともに中国から導入されたと言われています。

茂木　でも、日本においては、もはや天皇制については、「借り物だからいいや」という感覚にはならないような気がしますね。

養老　ならないですね。天皇制はやはり「國體の護持」なんだと思います。最近では「国体」と略字で書かれますが、「国体」と書いたらそれは「国民体育大会」です。

当時の「國體」はやはり「國體」でなくてはいけない。これは冗談ではなくて、完全に戦後にごまかしたのだと思います。「國體」を「国体」に変えることで、「國體」についての議論をやらなくて済むようにした。このあいだのワクチンで「副作用」が「副反応」になったように、そういうインチキを官僚やメディアはよくやるんです。「副作用」というと薬のせいで、「副反応」というと患者のせいみたいになるでしょう。

ただ、そういうインチキがまかり通ったのは、「國體」についての議論を詰めるより放っておこう、というのが国民の暗黙の合意だったからだと思います。

東　いま調べたら、国民体育大会は一九四六年にGHQの指示のもとに作られたようです。養老さんがおっしゃる通り、本当に「國體」の意味を変えるために作ったのかもしれない。同じ年に当用漢字、新仮名遣いも決定しています。

茂木　二〇二四年には「国民スポーツ大会」に変わるんでしたっけ。

東　「国スポ」になるみたいですね。ついに「國體」の浄化が終わったということでしょうか。

茂木　「敗戦」を「終戦」と言うのも同じですよね。「全滅」を「玉砕」と言ったり、日本は言い換えるのが上手いのですかね。

養老　軍隊も「自衛隊」ですからね。

東　「撤退」を「転進」と言ったり……。ただウクライナも敗走にしか見えない状況で「戦略的撤退」という単語を使っているので、そういうのはどの国でも変わらないのかもしれませんが。

茂木　当用漢字と新仮名遣いになって、いままで使っていた文字が急に変わるというのはどういう感覚だったのですか。

養老　迷惑、という感じでしたね。せっかく覚えたのに。学校では歴史的仮名遣いで答案を書くと間違いにされました。だから英文和訳なんかのときだけ、わざと旧仮名で書いていましたね。

東　いい話です。

茂木　でも「は」と「わ」とか、一部だけ残っているのはなぜでしょうね。歴史的仮名遣いでは「かは（川）」「けふ（今日）」と、文字と音が違ったわけですが、新仮名遣いでは「かわ」「きょう」など、音の通りに書く。でもなぜか助詞の「は」と「へ」だけは残って、現在も「私は」「どこへ」と書いて「わたしわ」「どこえ」と読んでいる。

養老　あの「は／わ」は本当に気持ち悪いね。

東　「言ふ」が「言う」になるのもかなり気持ち悪かったのではないかと想像します。なぜ助詞だけ残ったのですかね。

養老　わからないですね。使用頻度が高くてそのまま残った、という説もあるみたいですが。

茂木　もうひとつ、戦後に楷書体だけに統一されたことで、昔の文字が読めなくなりました。草書体だと「うなぎ」くらいしか読めません。

養老　僕は草書の文章を読む機会がなかったから、もともとあまり読めないけど、そこは明治維新と違うところですね。明治の人は江戸の文章も、もっと昔の文章も、同じ言葉として読めた。そういうところでも文化の断絶は起こっている。

ただ、文字が変わることで文化が断絶するという意味では、韓国はもっとひどい。漢字をハングルに変えたことで、ソウルの大学の蔵書のうち四〇万点が読めないそうです。

「国なんてのは儚い」

養老　東大の教養学部のときの同級生たちで、いまもクラス会をしています。僕らの頃は六〇年安保で、授業をやめて全員でデモに行こうとしたことがありました。そのとき年長のやつが一人立って、そんなことしても目的は達成できないと淡々と説いた。みんな納得して、結局行かなかった。大人だなと思って、尊敬していました。こっちが子供だったんですね。今年のクラス会で、その彼が自分は満州からの引き揚げ者だという話をしました。いま生き残っているクラスのメンバーにも他に三人、引き揚げ者がいた。全然知りませんでした。

また別のとき、偉い人たちがたくさん集まるような会合で「日本の扱いが不公平である」と主張した学者がいました。そこにいた山崎正和さん[6]が一言、「戦争に負けるとはそういうことなんですよ」と言って、その場がシーンとなった。まさに殺し文句だった。山崎さんも引き揚げ者です。

6　山崎正和（一九三四-二〇二〇）：劇作家、評論家。五歳から一四歳まで満州の奉天で過ごし、一九四八年帰国。大学で教鞭をとる傍ら、一九七九年、作家の開高健らとともにサントリー文化財団を設立。

クラスの引き揚げのやつが言っていたのは、「政府がどこにあるのかわかんねえ」ということでした。国軍、中共軍、ソ連軍、コロコロ変わるからです。山崎さんも「国なんてのは儚い」と言っていた。おそらく戦後の左翼運動は全く逆で、国家権力は盤石なものだという前提がある。でも、満州引き揚げの連中は国の儚さを身をもって知っています。だから微力ながらも支えてやろうという発想になる。

茂木　それぞれが想像を絶する経験をされているのでしょうね。

養老　「敗戦」という事実はみんなに行き届いたけど、本当の意味で「戦争に負けた」ことを身に沁みて感じた人がどれだけいただろうかと思います。身に沁みると、国なんて支えてやらないと潰れちゃうと思うようになる。でもいまのナショナリズムにそういう気分はないですね。

東　そうですか。

養老　日本人全体にないでしょう。国が万世一系の盤石なものだと思っている。おそらくウクライナの人なんかは国の危うさを感じているだろうけど。

東　いまの右の人たちは、中国など外国の脅威から自分たちを守らなければいけないと盛んに言っています。それとは違いますか。

養老　裏にある感情が違うんじゃないでしょうか。意気軒昂なナショナリズムというより、支えないとすぐボロボロになって壊れちゃうよっていう感覚。いまの彼らにそれはないように見えます。

茂木　マッカーサーが「日本人は一二歳の少年」と評したと言われます。暴言のように聞こえて、実は当時の本質を衝いていたのではないでしょうか。子供の頃には親がオールマイティに見えるけど、大きくなるにつれて親もいかに危ういものであったかがわかってくる。国家についても同じことが言えて、格差是正も子育て支援も、国家はオールマイティに力を発揮できるはずなのにしていない、という文脈で批判するのは、根本的に幼さを表しているように思えます。日本国憲法はアメリカからの贈り物ですが、自分たちではあの内容を構想する精神的成熟はなかった。対外的に言っても、日本はいまだに米国の影の中を歩いているように見えます。

養老　人に頼るなというのは、国も含めてですよね。

最初に、原爆を自然災害のように捉えることについて話しました。少し付け加えると、ヒロシマ、ナガサキへの原爆投下について怒るなら、東京大空襲も沖縄上陸もなにもかも全部に怒るしかなくなります。僕は昭和一二年一一月生まれで、同じ年の七月に盧溝橋事件がありましたから、戦争中に生まれて育ったようなものです。ヒロシマもナガサキも戦争のひとつの帰結であって、それを言うなら、中国戦線に食べ物もないのに兵隊を送ったことも全部入ってくるわけで、いちいち取り出していられない。原爆だけに腹を立てるのはおかしいと思ってしまう。

茂木　原爆も一連の動きの中での出来事だからですね。

養老　そうです。昭和一二年に陸軍参謀本部次長になった多田駿という人の伝記があります。参謀本部のトップは宮様でお飾りですから、実質的には次長がトップです。多田駿は石原莞爾と同じように満州国の不拡大方針を取るのですが、負けてしまう。彼が何を考えて不拡大としたかは書いていないのでわかりませんが、どうやら陸軍の中の派閥が関係しているらしい。そんなことで国の大事なことが決まっちゃうんだなと思いました。

先の大戦の合理性

養老　戦争が無謀だということは当時の人もわかっていたと思うんです。中国で四年戦争をしてもケリがついていないんだから。それは英米のせいだと開戦の詔勅は言っています。客観的に見れば源をたたくしかないわけですから、開戦はある意味では非常に合理的な行動だったと僕は思います。

アメリカが日本への石油輸出を全面禁止し、いわゆるABCD包囲陣ができる。それに対して、日本は蘭領インドシナのパレンバンを奇襲して油田と精製所を押さえます。太平洋の制海権を握るために真珠湾を攻撃し、シンガポールの英国東洋艦隊を潰した。きちんと考えた行動だったわけです。ただその後はうまくいきませんでしたが、全く非合理だったとは思わない。

なぜあんなことになったのかは片山杜秀[7]が書いています。第一次大戦で日本は青島を攻略しますが、そのときは徹底的な物量作戦でやった。そのときにこれからの戦争は物量だとわかっていた。ただ、日本に米英に対抗するほどの物量はなかったから、陸軍の優秀な連中は精神主義に走らざるを得なかったと。

茂木　僕は日本の戦後の教育を受けているから、ある時期まで戦前の日本はひどいと思っていました。でも海外の歴史や報道を見るにつけ、攻撃性や自分勝手な感じは日

7　片山杜秀（一九六三－　）：政治思想史研究者、音楽評論家。慶應義塾大学法学部教授。

本もアメリカもイギリスも変わらない気がします。日本だけが特にひどいということはなくて、そういう認識は、いわゆる戦後民主主義の虚妄なんじゃないかと思うようになりました。ただ、これは意見が分かれるところだと思いますが、特攻攻撃だけは日本的なのかとも思います。

養老　フランスでは自爆テロを「カミカゼ」と呼んでいますね。

茂木　「カミカゼ」という日本語でいまでも語られるくらい、当時の作戦は印象的だったのでしょうか。

東　自殺攻撃は日本しかやっていないのですか？

養老　広く取れば世界中でありますよね。

東　そうですよね。日本でも特攻は神風特攻隊だけでなく、ほかに潜水艇の「回天」などもあったでしょう。戦闘機の特攻隊がいつからここまで強くシンボルになったのかには興味があります。いずれにせよ、特攻は先の大戦の混乱を象徴するものでありながら、英霊に対する思いを集約する核としても機能している特別なアイコンですね。

養老　ちょっと関係あるかなと思ったのは、先崎彰容[8]さんの『未完の西郷隆盛』という本です。なぜ西郷がこんなに人気なのかを考えるために、いろんな人が西郷について語ったことをまとめたものですが、結論として、西郷が与えた影響は死生観だったと言っています。その死生観はまさに特攻にも通じている。

東　それは大事な視点だと思います。

養老　西郷さんの死に方の影響力ですね。則天去私になるというか。

茂木　生物界では、仲間を守るために一部の個体が犠牲になるという現象は普遍的に見られるわけですが、人間の近代的な価値観とは相容れない。アメリカは特攻攻撃がまったく理解できなくて、かなり恐れたということですね。特攻にどんな文化的背景があるのかもわからないから、戦後に歌舞伎まで禁止した。たしかに歌舞伎の演目を見ると、主君のために自らを犠牲にするという美意識が見られます。

養老　そんなこと言ったら、『古事記』のオトタチバナヒメから始まるからね。

東　たしかに、海に身を投げて、自己犠牲で国を守りましたね。

8　先崎彰容（一九七五−　）：日本思想史研究者。日本大学危機管理学部教授。

第三章　維新と敗戦

明治維新と西郷隆盛

茂木　近代以降、日本という国は二度、外圧による大きな変容を経験しています。明治維新と敗戦です。明治維新は世界情勢という外圧があったとは言えますが、敗戦後のGHQによる占領に比べたら、少なくとも自発的な変化だったということでしょうか。

養老　そうですね。ただ、どちらがきつかったかと言えば、明治維新だったかもしれません。三〇〇年くらいやってきた日常や習俗を変えなくてはいけなかったわけですから。

明治維新でどれほど社会が変わったかは、杉本鉞子さんが『武士の娘』（*A Daughter of the Samurai*）で書いています。そのなかに、知り合いの侍が明治維新で牛乳屋兼牛肉屋になると、そういうのは賤しい身分の人の仕事だと言ってその侍のお母さんが自害してしまうというエピソードが出てきます。突然、これまでの価値観では生きていかれなくなるわけですから、社会のストレスは相当なものだったと思います。

東　牛乳も牛肉も、新しく食生活に入ってきたものですね。

養老　当時、食い扶持がなくなった元侍が、牛乳屋や牛肉屋をやることは多かったみたいですね。この侍は牛乳屋をやめたあと、洋装の若者が行き交うビルでドアマンのような仕事をしていて、それを見た杉本さんは「一時代前には、この青年達の父に当たる人々が、凜々しく馬上におさまった戸田さんの前では、頭も上がらなかったことを考えずにはいられませんでした」と書いています。

茂木　武士としての誇りや教養が、突然、無用の長物になった。切ないですね。

養老　あんな大きな価値観の変換をしたら、大変なストレスが生じるに決まっています。その恨みつらみと、新政府の高官たちの汚職まで含めて西南戦争になる。だからその象徴としての西郷さんが偉くなった。西郷さんがどうして人気なのか、ずっとわからなかったのですが、民衆のストレスを体現して反乱を起こしたから偉かったんです。

茂木　西郷さんは明治維新を行った元勲の一人でありながら、西南戦争で官軍に反旗を翻し、最後には敗戦の将として自刃する。その立ち位置が、日本近代化の歪みを象徴している人物であることは間違いないですね。

養老　明治維新で作ろうとした世界と、現実が全然違うことに気がついたわけですね。その維新のトラウマを一身に背負って死んだから、あの人はあんなに人気がある。

茂木　あの有名な西郷さんの肖像写真は本人ではない、という話は都市伝説的にずっとありますね。

東　敗軍の将がこんなに飾られるのは変だからでしょう。

養老　肖像も像も、日本中にありますからね。西郷さんが昔の日本を偲ぶ象徴として、御一新の裏側みたいになっている。

茂木　日本には、滅ぼされた側を祀る怨霊信仰がありますが、それも関係しているのかもしれませんね。どこか後ろめたさがあるというか。

養老　昔の人から見たら、旧幕のものを私有化したり、明治の新政府がやっていることは相当酷かったみたいですから。

東　鎮めるという面はあったかもしれません。

茂木　その矛盾を一身に引き受けたとしたら、西郷さんも興味深いですね。ＮＨＫの大河ドラマもそういうところを描いてくれたら面白いのにな。

養老　それぞれの立場でそれぞれの経験があるわけで、「明治維新」という一つの全体として考えることは実際にはできないのだけれども、私たちはそういうことにしています。でも実際にはできなかった部分、「全体」から漏れ出てしまった考えにくい部分を西郷さんが背負ってくれたという思いがあるのではないでしょうか。負けて死んじゃったのだからしょうがない、として納得する。判官びいきというか、日本人のなかに負けた側に対する共感が多いのも、自分の中にそういうものがあるからでしょう。

茂木　複雑なものを単純化したときに漏れ出たものを、西郷さんが背負ったということですね。その分、イメージが大きくなった。

東　戦後のトラウマは誰が背負ったのだと思いますか。

養老　一般の人たちではないかと思います。一般の人たちが矛盾を抱え込んでいる。だから生きにくいと感じている人が多いのではないですか。

茂木　ご自身が生きにくかった理由を書かれたという『バカの壁』は、四五〇万部売れています。日本人が未整理のまま引きずっていたものを、『バカの壁』は解きほぐしてくれた。

養老　僕の本が売れたのは、西郷さんみたいな人がいなかったからじゃないでしょうか。

茂木　養老孟司＝西郷隆盛説。これは案外当たっているかもしれません（笑）。

アメリカの南北戦争は、いまだに爪痕が残っていますよね。明治維新もそれに類する爪痕があったはずですが、日本には残っていないのでしょうか。もしかしたら抑圧しているのかもしれませんが。

養老　それを言うなら会津でしょうね。鹿児島県出身で会津で働いていた人は「辞めるまで鹿児島出身だと言えなかった」と言っていました。そういうのは戦後にもけっこう残っていたんです。

茂木　日本は敗戦でグレートリセットされたと言われますが、いろいろなところで古い記憶が残っているんですね。僕自身も日本社会でずっと生きにくかったので、そういう身体化された「日本の近代化の歪み」の構造をもっと理解したいです。

西郷隆盛から「先の大戦」へ

養老　『未完の西郷隆盛』で先崎さんは、「西南戦争は時代の流れに対する抵抗精神であって、西洋対日本の戦いを官軍対薩軍で演じていたのではないか」として、江藤淳の西郷論である『南洲残影』を引用します。「その西郷の心眼が、昭和二十年八月末に、相模湾を埋め尽くした米国太平洋艦隊の姿を遠く透視していたことについても、私はほとんどこれを疑わない」。西郷さんが背負ったトラウマが、先の大戦に引き継がれたということです。

茂木　トラウマは結局、大きくなって戻ってきたのですね。無意識に抑圧された記憶は、伏水に潜む竜のように、必ず暴れて復讐する。

養老　この江藤淳が言う「相模湾を埋め尽くした米国太平洋艦隊」を、僕は子供のときに鎌倉の海岸から見ているんです。たくさん軍艦が並んで、水平線が見えなくなるくらいでした。

茂木　それは強烈な体験ですね。僕は生物学的な年齢に基づく世代論には意味がないと思っていますが、何歳の時に何を経験したかという心の「地層」としての世代論として、それは決定的なことのように思います。

東　ダウンフォール作戦という米軍の日本本土への上陸作戦があったんですよね。まず鹿児島や宮崎の南九州から上陸して航空基地を確保して、次に相模湾と九十九里浜から上陸して首都を制圧する作戦だった。

養老　本土決戦になっていたら、その風景を見ることになったんでしょうね。八月一五日に降伏したので見なくて済んだけど。

東　終戦の時点ではかなり具体的なところまで作戦ができていたと言われていますから、ギリギリのタイミングだったわけですね。

養老　八月一五日は母の田舎にいたのですが、よく晴れていたのを覚えています。八月一六日は空に日本の飛行機がいっぱい飛んでいました。もうガソリンを節約しなくてよくなったからでしょうか。こんなに飛行機あったんだ、と大人が言ってました。

外の基準に合わせるストレス

茂木　八月一五日を経て、今度は新しい価値観としてアメリカ文化が入ってきます。養老先生はアメリカが嫌いだと常々おっしゃっていますね。

養老　戦後、アメリカの文化は見事に日本に浸透しました。アメリカの影響で、いちばん大きかったのは使い捨て文化です。僕の先生なんかは、ティッシュで鼻をかんで毎回捨てるのはもったいないからハンカチでかめと言っていました。大学のエアコンも、セントラルヒーティングにするか各部屋につけるかという議論があって、人のいない部屋に空調してももったいないから各部屋になりましたが、最近はセントラルヒーティングが増えてきましたね。
僕らが育った頃は、折につけ「アメリカではこうやっている」でした。ふざけんじゃねえよと思って、そういう反発はいつもありました。それがアメリカ嫌いに繋がっているんだと思います。

茂木　いわゆるお手本モデルがアメリカになっていますよね。最近の「新自由主義的」なところまでずっとそうです。

養老　なんでそんなに真似しなきゃいけないんだと。あんたの都合はどうなんだと聞きたいですね。

茂木　なんでそうなったんでしょうか。不思議な風潮ですよね。

東　アメリカが経済的に強いからでしょう。

養老　あれでうまくいっているでしょ、ってことですね。大学も典型で、アメリカが暗黙のモデルになっている。シラバスとか変なものがいろいろ入ってきて、なんでこんなアホなことをやるんだと言うと、「アメリカでやっています」だもん。アメリカ嫌いに拍車がかかるわけです。

茂木　日本社会の一部で、ハーバードとか、ＭＩＴとか、イェールとか、アメリカの大学の箔付けがありがたがられるのはどうしてなんでしょうね。

養老　それはそれでいいけど、なんでこっちがその価値基準を採用しなきゃいけないのかがわかりません。論文も何が新しいかとか、そういうことばかりで、アメリカで出る論文は面白くない。裏も表もない、電報みたいなものばっかりです。こっちがへそ曲がりなのか、アメリカが単純すぎるのかわからないけど。

茂木　相手の価値基準に合わせ続けるというのはストレスですよね。内発的な動機がないと、結局、そのような精神性は根付かないように思います。心の安普請になってしまう。

養老　日本は明治の頃からずっとそうですね。少し前に農林水産省の有機農業を推進するための会合に出席したのですが、そこで出てくる数値目標がすべて国際的な基準なんです。日本に住む人にとって必要な目標ではなくて、外の基準に合わせるだけになっている。

何にせよ、自分たちの意志や目標ではなく、外のものにばかり合わせていたらストレスになります。近代以降、日本はずっと何かに合わせてきた。でも、日本人はその原因について考えることもなく、無自覚なままです。それが歪みとも言えるし、歪みを解消できない理由ではないかと思います。

東　おっしゃる通りだと思います。

民主主義と家族形態

養老　ただ、戦後で日常生活にいちばん大きく関わった変化は、家制度を変えたことだと思います。日本の家制度は戦後に憲法二四条で潰されました。そういうことを平気でやるアメリカも信じられないし、潰しましょうと言われて「いいですよ」と実行するのも理解できません。家制度なんて外国と関わる話ではなくて、日本国内での話です。長く生活に根付いてきた家制度を本当に潰せるのか、潰したら問題が色々起こるんじゃないかということを考えないで、なんで気軽に「変えましょう」って言えるのか。お墓ひとつとっても個人は基本じゃないし、社会の指導者階級もみんな家制度で動いていた。そういう社会を急に「個人に変えましょう」って、そんなこと本当にできるんでしょうか。

東　個人と家族を対立させても意味はないと思います。欧米の「個人」という発想の背景には欧米型の家族観があって、要は家族のかたちが国によって違うということが大事なのではないでしょうか。

エマニュエル・トッドによれば、イングランドやスコットランド、オランダの一部などは、そもそも「絶対核家族」というたいへん個人が強い家族形態をもっていた。そこで産業革命が起きたので、その家族形態も世界に拡散することになった。言い換えれば、リベラルデモクラシーの導入とイングランド型の絶対核家族の導入がほぼ等価として扱われているのは、たまたまそれが歴史的経緯の中でくっついていたからにすぎない。リベラルデモクラシーのような理念の話と、それぞれの国の伝統に基づいた家族形態は本来は切り離されて論じられるべきです。

二〇世紀の後半、アメリカは、ヨーロッパとは全く異なる日本という国に、イギリス＝アメリカ型のリベラルデモクラシーを家族形態の変革ごと押し付け、かなりうまくいってしまった。それはアメリカにとって大きな成功体験となっている。

養老　そこはもっと日本人が意識していいことですね。

東　日本という国に「世界的使命」があるとすれば、非ヨーロッパ国でもヨーロッパ化できるということではなく、非ヨーロッパ国でもリベラルデモクラシーが機能しうる、ということをちゃんと示すことにあるんだと思います。リベラルデモクラシーと家族や文化の問題は論理的には切り離せるし、実際日本では切り離されているんですよと。

でも日本は、一九四五年にそれまでの日本を否定してしまった。それが僕たちの難しさだと思います。もちろんいまでも、過去の日本の残滓はたくさんあります。でも少なからぬ日本人が「日本的なものは悪だ」と思い込んでしまった。それが一九四五年の経験です。「日本的なものの中にも良いところがありました」と言うことそれ自体が、「また軍国主義に戻るのか」「戦前に戻るのか」という話になってしまう。それでがんじがらめになってきたのが戦後です。

これからの二一世紀、中国、インド、そしてグローバルサウスの国々がさらに力を持ってくるときに、イギリス＝アメリカ型のリベラルデモクラシー一辺倒でうまくいくわけがない。デモクラシーのかたちも多様になっていくと思います。そのときに日本がちょっと違うデモクラシーをやっていたら先進的だったと思いますが、日本は「日本のものはだめなのだ」というシンプルな歴史観を作ってしまった。そこに戻れないので、なかなか出口がない。

養老　まさにそれが「日本の歪み」の本質ですね。

猫が見た明治

養老　今年の正月にたまたま、『吾輩は猫である』を読み直したんです。あの話はちょうど正月からだったんですね。正月に猫が拾われて、台所で残った雑煮を食うんですが、歯にくっついてしまって踊りを踊っちゃう。それが漱石の自画像じゃないかなと思うわけです。飲み込めたら栄養になるのに、歯にくっついて飲み込めないでもがいている。もがく姿を家族は「あら猫が御雑煮を食べて踊を踊っている」と笑っている。それが『猫』という作品のおかしさそのものだなと。

茂木　そこをそう読むのか！　言われてみるとその通りだ。

東　西洋の文明を飲み込めないということですよね。

養老　栄養にならないわけじゃないし、飲んだっていいんだけど、歯にくっついちゃってどうしても飲み込めない。それで踊っちゃう。それが漱石であり、当時の日本だった。猫の踊りが『猫』という作品そのものだなと思ったんです。

茂木　その読み方はとても面白いですね。漱石は英文学を勉強しにロンドンに留学して、英文学が嫌になって帰ってきた人ですから。その後、幼少期からの漢籍の素養が伏流水のように出てきたりする。東さんはフランス現代思想が嫌になったことはないですか。

東　そこまで嫌になってはいないですが（笑）。

茂木　僕は、漱石は近代の歪みを考えるうえで重要だと思っていて。『坊っちゃん』の山嵐が会津の出だという設定だったり、清《きよ》が「瓦解」した江戸の象徴だったり、漱石自体が明治という時代を必ずしも肯定的に捉えていない。

養老　清が母親だという説がありますね。

茂木　そのような謎が重層的に仕掛けられているのが、漱石の作品の魅力だと思います。実際、清が母親だと思うと辻褄が合うんですよね。なぜ父親は坊っちゃんに冷たいのか、なぜ清はあんなに世話を焼いてくれるのか、なぜ最後に坊っちゃんは清と一緒に住むのか。そのことによって幸せを感じるのか。

東　たしかに、言われてみるとそうだ。

養老　『坊っちゃん』は漱石が近代的自我の世界と桃源郷の世界、二つを行き来する小説でもあると思います。

茂木　近代的自我のぶつかり合いが、漱石はすごく嫌だったんだろうなと思うんです。話は少し飛ぶんですが、最近、新幹線のグリーン車に乗ると、かつてとは様子が違っている。なんでお金をもっているのか全くわからないような、派手な身なりの若い兄ちゃんがてれーっと座ってたりして、それを僕はあまり好ましく思わないわけです。漱石も新しいものに対してそういう気持ちだったのかと想像するわけです。このところずっと続いている新自由主義的な風潮の中で、自我だけが拡大した兄ちゃんたちが、いわゆる「有害な男らしさ」を撒き散らしているようにも見える。

一方で、目立たないほうがいいというのは自我における消極主義であって、自我がもっている顕示欲とか物欲への抑制的な態度です。漱石なんて、完全に抑制している側だった。そう考えると、自我の顕示欲を清々しく発露している兄ちゃんたちは、無自覚である分、漱石のような人にとっては罪が重い。

改めて漱石の小説を読むと、明治ってまさに今でいえば「新自由主義」の時代だったことがわかります。実業家の羽振りの良さなんかも、いまよりもっと顕著だったんじゃないかと思う。そのような無自覚な自我の発露に対する嫌悪が、漱石の文章から伝わってきます。

東　鉄道も明治期はかなり民間が作っているんですよね。

茂木　僕は、『三四郎』の広田先生がとても好きで。上京の車中で広田先生に出会った三四郎が、東京に行ったらこの程度の人はいるだろうと思ったら全くいなくて、東京帝大の授業受けてもぜんぜん良くなくて、振り返ってみると、広田先生良かったんだ、ていう話がすごくいい。そんな広田先生は、「偉大なる暗闇」として知る人ぞ知る、一生浮かばれない存在なのですが。

東　そういう人になりたいなあ。

養老　僕も最近読み返しました。飛び込み自殺を見るシーンとか、漱石が見ている時代が見られて面白かった。

茂木　なんであのシーンを入れたんでしょうね。

東　当時、あのへんに鉄道が出来たばかりだったので、電車への飛び込み自殺は新しい現象だったんだそうです。

茂木　漱石はジャーナリスティックだったんだなあ。それが普遍的な文学性につながっているところが素晴らしい。

東　あれは漱石が最先端の事件について書いたものだった、という説を読んだことがあります。

茂木　同時代的であると同時に、時代の限定を超えている。そういえば、『三四郎』で東京帝国大学の中にある病院のことを「青山内科」って呼んでいるのはなぜですか。

養老　当時は教授の名前で呼んでいましたから。あの名前は青山胤通から取ったんだと思います。青山は帝大内科のすごく偉い人で、たしか北里柴三郎と喧嘩して、北里を追い出して白金の伝染病研究所の所長になった。北里は伝染病研究所を辞めてから私費で北里研究所を作って、これがのちの北里大学になる。

茂木　なるほど。いまよりも個々のキャラが立ってますよね。何かが出来上がってしまった後ではなく、すべてが出来上がっていく時代の一つの特徴かもしれない。

養老　キャラ立ってましたよ。僕がいたころの解剖でも、助教授どうしが喧嘩して、窓から相手を突き落としたこともありました。

茂木　創成期の日本はけっこう激しかったんですよね。コンビニと漫画とアニメで生活が成り立っているかのように見える現状の日本は息苦しくなってしまったけど、もっと遠慮なくやってもいいのかもしれませんね。全てぶっこわしてゼロから作り直すくらいのことをしないと、日本の歪みは解消できないのかもしれない。

第四章　死者を悼む

靖国問題の問題

養老　小泉さんが首相の頃、「靖国に行って何が悪い」と言ったら、それこそ「炎上」したことがありました。神社に行っただけで他所の国を動かせるんだったら、大変な力量ですよ。

茂木　小泉純一郎さんは二〇〇一年から二〇〇六年の任期中に毎年、靖国神社に参拝して、ずいぶん批判がありましたね。当時は「戦前の軍国主義が戻ってくる」という議論が、当たり前にメディアでも書かれていました。

養老　そんなことあるわけないよ。だから政治は嫌いです。空理空論とは政治のためにある言葉だと思います。

こんなに問題になる前ですが、僕の研究室に文革時代の中国の留学生がいて、靖国神社に連れて行ったことがあります。「どう?」って聞いたら、「きれいな神社ですね」で終わり。個人のレベルではそんなものです。靖国は政治問題になっちゃったから、虫塚のほうがいいよ。

茂木　僕は戦後の民主主義教育のなかで、どちらかと言えばリベラルな本を読んで育ったので、ある時期まで、靖国神社にはそれほど良い印象はありませんでした。でも、靖国に対するイメージがガラッと変わったことが二回あります。一つは、本殿の裏に行ったときです。本殿を囲むようにたくさん植樹がしてあって、それは戦争でいろいろな方面に行かれた部隊の方々が植えたものでした。ラバウルとかビルマとか、そこで苦楽をともにした方々や、士官学校の同期生や航空隊など境遇を同じくされた方々が一緒に植えて、それを縁《よすが》に集まるものになっていた。そこには、国家とか、大義とか、そういう大きな物語に回収されていくのではない、いわば自然発生的な人々の思いの発露があった。もう一つが遊就館です。歴史の解釈についてはここではコメントすることは避けますが、一連の展示の最後のところに、靖国に祀られた戦死者の方々の写真が何万と並べられていた。お名前のところが「〜命」となっている。神様になっているからですね。とても印象的な経験でした。

そうやって一人ひとりの個性や仲間のつながりが見えたときに、靖国に対するイメージが変わりました。戦後の教育や、メディアの中で「思わされていた」ものと違ったんだなと。実際に戦争に行った人や、戦争で亡くなった方の遺族にとって大事な心の縁になっているのがよくわかった。でも、そういう側面は語られないですよね。リベラルな文脈にせよ、保守的な立場からの言説にせよ、もっと国家とか大きな話になってしまっているのはなぜなんでしょう。東さんはどう思われますか。

東　靖国神社が深刻な社会問題になるのは、一九七九年にA級戦犯合祀が発表されてからですよね。そして一九八五年の終戦記念日に中曽根康弘首相が公式参拝したことで、中韓からも抗議が来るようになる。二〇〇〇年代には、A級戦犯の合祀に昭和天皇が違和感をもっていたことを示唆する「富田メモ」が新聞の一面で発表されたり（二〇〇六年）、元侍従の日記が公表されたり（二〇〇七年）して、小泉首相の靖国参拝と相まって「靖国問題」がどんどん大きくなっていく。

靖国神社はもともと東京招魂社という、明治維新の志士と戊辰戦争の戦死者を祀る官軍の追悼施設でした。西郷隆盛も会津藩士も祀られていないわけで、けっして国民全体の追悼施設として作られたわけではない。それが日清戦争で膨大な死者が出たことで、対外戦争の戦死者や傷病死者も含めて祀るようになった。そして戦争が起こるたびに祀られる人の数もどんどん増加していって、最終的に国民全体の追悼施設として魂がみなここに戻ってくるんだという感じになってしまった。

ここにも日本の歪みというか、いいかげんさが表れています。靖国問題というと首相の参拝やA級戦犯合祀ばかりが議論されますが、本当の問題は、日本という国家が、日本のために死んだ人を慰霊する場所をきちんと作っていないことだと思います。先の大戦の海外戦死者は二四〇万人ほどいると言われていて、戦後に海外戦没者の遺骨回収が進められますが、戻ってきた大量の身元不明の遺骨を納める場所がないことが問題になりました。そこで千鳥ヶ淵戦没者墓苑が作られる。しかし、茂木さんがおっしゃった植樹の話のように、結局人々は千鳥ヶ淵墓苑ではなくて靖国神社に参っているわけです。

政教分離などできない

養老　大学の医学部は解剖体慰霊祭というのがあるのですが、靖国神社が問題になった頃、憲法違反だと投書が来た。東大医学部が主催で、大学で解剖した人の慰霊祭をお寺でやっていたのですが、特定の宗教で慰霊祭をやるのは憲法違反だというのですね。ちょうど教授になったときで、総長の森亘《わたる》さんにちょっと考えてと言われて調べたら、二〇〇〇年以上前、日本で最初に官許の解剖をやった山脇東洋が慰霊祭をやったという記録が出てきた。その時の祭文が残っていて、誰が解剖されたかも書いてありました。それから日本各地で解剖が行われるようになりますが、それぞれに慰霊祭をやっている。東京大学ができたときにも献体で解剖した記録がありますが、やはり慰霊祭をやっています。いわば、民俗的に続けている。それだけずっと続いた習俗的なものだとわかったので、俺が現職のうちはやる、と言ってやり続けました。似たような話で、地鎮祭が憲法違反だという裁判がありましたが、これも慣習化した世俗行為だとして合憲判決になりました。

しかし、そもそも慰霊は宗教の基本にあります。そうすると、国が慰霊をすること自体が憲法違反だということになる。変な話ですが、日本の憲法はそういうことになっている。

いちばん変なところを、みんなよく考えていないんじゃないか。靖国問題の有識者会議でも、別の慰霊施設を建てるという案が出ましたが、たとえ無宗教で国立墓地を作っても、それを何百年と続けたら、それは国家宗教そのものです。お寺をホールに変えるとか、慰霊祭を献花式に変えるとか、全部うわべだけでしかない。

茂木　欧米の考え方を導入して「政教分離」と言われるわけですが、日本の感覚では正直、政教分離の感覚はわからないですよね。

養老　だって陛下が神様なんだから。

東　政教分離は、もともとはローマ教会の教皇権に対して国民国家を作るためのロジックですから、それをあてはめてひとつの共同体＝国家のなかで政治と宗教を完全に分離しようというのはおかしいんですよね。イギリスだって、エリザベス女王の国葬が教会で行われたことでもわかるように、宗教と国家はばっちり結びついている。アメリカでも聖書に手を置いて大統領が宣誓する。

いかなる宗教的基盤ももたずに国を作るなんて不可能であることは、ロシア革命を見ればよくわかります。共産主義は宗教は阿片だといい、無宗教を標榜した。けれども、モスクワのレーニン廟ではいまでもレーニンの死体が保存されています。ああいうのがどこから来たかといえば、正教に「聖人の死体は腐らない」（不朽体）という信仰があってそれが人々の想像力のなかに根ざしているからなんですよ。つまり、どれだけ無宗教を装っても宗教は戻ってくるものだし、逆にいえば、あるていど統治者が宗教的な意匠を有効に使わない限り、社会は安定しない。

茂木　死体が腐らないというのは『カラマーゾフの兄弟』でも重要なモチーフですよね。

東　天皇にしろ靖国にしろ、実際には日本でも宗教は生きている。にもかかわらず、靖国はあくまでも民間の宗教法人だとか、中途半端に無責任な体制が作られていることが問題だと思います。

茂木　憲法二〇条[9]の規定をそんなに杓子定規に守る必要はないような気がしますね。九条だって実際には守っていないわけだし。

養老　それは、日本社会がどれだけ言葉で規定されているかという問題だと思います。

東　無駄な議論をしている気はしますね。宗教と習俗は切り離せないわけですから、完全な政教分離を行うとなると、「日本とは全く関係ないもの」を国家の儀式として採用しなければいけなくなる。

茂木　国会で大真面目に「玉串料はどうするか」とか言っている暇があったら、他のことを議論してほしいものです。実質を考えていないんだよなあ。

死は二人称しかない

養老　靖国の問題は、戦争での死者が身近にあるかどうかで考え方はずっと違うはずです。僕は、死というのは二人称しかないと思っています。死を悼むことは、二人称の誰かを悼むことです。反対意見があるとか、そんなの雑音ですから、それに気を取られているうちは本気でやっていないだけだと思います。慰霊ってそういうものでしょう。

東　死は二人称しかないというのは重要なことだと思います。ヨーロッパの哲学には、死について語る言葉が一人称か三人称しかない印象があります。なぜ二人称がないか。これはぼくの直感ですが、ヨーロッパの哲学において二人称的な「親密さ」があまり重視されていないからじゃないでしょうか。

カントには有名な論文があって、そこで次のような議論をしている。友達が殺人者に追われ、匿ってくれとやって来たとする。このとき、嘘をついて友人を匿うべきか否か。ふつうは匿ってもいいんじゃないかと思いますよね。でも、カントは匿うのは正しくないと断言する。たとえ友人が殺されるとしても、嘘をつくなという原則を曲げてはならないという理屈なんです。これはすごく強力な倫理観で、これが暴走する

9　憲法二〇条三項で「国及びその機関は、宗教教育その他いかなる宗教的活動もしてはならない。」と定めている。

とナチみたいになります。たとえ友達でも、ユダヤ人なら私心を押し殺し国家に差し出さなくてはならないという話になりますから。

このように二人称的な親密さをなるべく消すことがカント的な倫理学の方向性です。これに対して実存主義は一人称を入れたわけですが、いずれにせよヨーロッパの哲学は二人称で考えることが苦手だという印象がある。「近い他者」という問題について考えるのが苦手なんですよ。

ちなみに、その傾向はいまの日本のリベラルにも流れ込んでいて、たとえば日本人と外国人を区別するのはおかしい、というよくある議論がその一例です。普遍的な制度設計としてはその通りではあるんだけど、現実には、なにか問題が起きたとき、実際には自分の家族と知らない他人だったら家族のほうを助けてしまうのが人間というものですよね。それは避けられないと思うんだけど、断固そんな贔屓をやってはいけないと言い続けるのがリベラルの立場です。

茂木　それは人間の本質に通じる話ですね。そこに靖国問題の本質がある気がします。「政治的な正しさ」を追求することが、「人間らしさ」からの遠心力として働いてしまっては、元も子もない。

東　はい。これと追悼の問題は通じています。親しい人間の死だからこそ、われわれは追悼する。親しさというのは共同体を前提としている。だからある種の宗教や伝統に基づく儀式が成立する。言い換えれば、追悼はかならずローカルだということです。「普遍的な追悼」を考えたら、どんな宗教の人やどんな出自の人がいるかわからないので、どんな宗教も利用するなという話になる。しかしそもそも「普遍的な追悼」なんて存在しない。靖国にしても慰霊祭にしても、問題の本質は二人称の追悼について考えていないことであり、そこに、リベラルの、そして大げさにいえば、ここ二〇〇〇年くらいの哲学の弱点が表れていると思います。

養老　その通りですね。

茂木　最近ネットで流行っていた「老人は集団自決せよ」という言い方も、二人称がなくて一般論に飛んでいる。植物状態の方が生きる意味はあるのかみたいなことを言う政治家にせよ、相模原障害者施設殺傷事件の犯人にせよ、たしかにヘイト発言はどれも三人称ですよね。カントの定言命法が、下手したらナチスにつながってしまうというのは、本当にその通りだなと思いました。極めて深い思考です。

東　ハンナ・アーレントが言ったことの最も重要なところです。

茂木　素晴らしいですね、ハンナ・アーレント。
東　普遍性を追求するということがいかに危険かということですよね。普遍性を目指すことそのものに暴力性がある。
茂木　いい話だなあ。人を助けるというのだって、身の回りの人にご飯をおごるとか、二人称としてしかできないから。二人称の存在論的、認識論的な地位については、私たちはもう少し深刻に考察したほうが良いのかもしれない。

安倍元首相の国葬について思うこと

東　安倍晋三元首相の国葬の日、僕は九段下に一般向けの献花に訪れる人を見に行きました。献花台は靖国通りの武道館側の歩道に設けられていて、いちおう葬儀会場である日本武道館のほうに向いてはいたものの、かなり遠い。安倍さんの写真はあるものの、そもそも一日限りの金属の仮組みでしかない。
そこに花を手向けることでは心は満たされないのでしょう。人々がそのあとどうしたかと言えば、かなりの人が道路を渡って向かい側にある靖国神社に行っていたのが印象的でした。安倍さんの死を悼みに来た人が靖国神社に参拝する。それが意味するのは、実質的に安倍さんは靖国神社に祀られてしまったということです。

ちょうどその前にイギリスのエリザベス女王が亡くなり、ウェストミンスター寺院で葬儀が行われました。国家元首の葬儀が宗教性を帯びるのは当然のことです。しかし日本ではそれができない。なぜできないかといえば、要は敗戦したからです。敗戦後にGHQの草案で作られた憲法では、国家が宗教的活動をすること、公金を供することを禁じている。だから体育館で葬儀をやるしかない。でもそれには根本的に無理がある。だから人々は近くの神社に行く。宗教色をなくした追悼なんてできないんです。やっても機能しないんですよ。

炎天下に喪服を着てわざわざ九段下まで来て献花に並ぶ人たちは、それなりの強い気持ちをもって追悼に来ている。そういう一般弔問客をどう遇するかも、本来は国が考えなければいけないことです。しかし実際にはありふれた巨大イベントへ誘導するかのように、無味乾燥な長蛇の列に並ばせただけだった。日本は死を悼む気持ちの受け皿すら作れないのだなと、その光景に日本の衰退を感じました。場当たり的な対応を繰り返し、なんとなくなんとかなっているように見えても、ベースのところで人心の荒廃が進んでいるように思います。

茂木　僕は国葬の日、武道館で参列していましたが、儀式の形式を宗教的に中立的なものにすることで、何かが形骸化しているように感じました。そしてそれは、現代日本そのものの姿のように思いました。私は科学者であり、現在得られている知見に照らして、知的な意味で全面的に肯定できる既存の宗教はないと感じています。一方で、生活人としての、あるいは関係性の中での自然な心の動きはその限りではない。宗教的なものを排除することで、心の着地点が失われてしまっている。前に手塚治虫のトキワ荘マンガミュージアムに行ったときも、なんか落ち着かない感じがありました。「手塚治虫神社」があればよかったのかな（笑）。本来は心の落ち着かせ方の文化は土地ごとにそれぞれにあったはずですが、日本の場合にはそれが混乱しているのかもしれないですね。

東　夏に盆踊りが小学校の校庭で行われたりしますが、あれも本当は神社とか森でやるべきものですよね。どういう理屈で校庭になったのかわかりませんが、神社でやると宗教行事で、校庭でやると自治体の無宗教行事になるんでしょうか。いずれにせよ、戦後のこの国は、もともともっていた人の心を安定させるリソースのようなものを、かなり使えなくしてしまっているように思います。それが効率の悪さを生んでいる気がしてなりません。

養老　非常に面白い視点でした。僕は、虫塚というのを作って六月四日の虫の日に供養しています。人間のほうも、最近、「墓じまい」などお墓の問題が出ていますが、その問題が出てきたのは家制度を壊したからですね。僕はこれは、戦後社会にとって九条より大きな問題だと思っています。

家制度を壊したことで個人が露出したわけですが、前に東さんが言ったように、元来、日本に「個人」はなかった。日本の民主主義は「家」の平等で、個人で成り立つものではなかったんです。それが「家」という制度が消えて、急に「個人」になったことで墓も先祖も繫がらなくなった。そうすると日常生活の時間的な存続を、どこに落ち着かせていいのかわからなくなります。

そういうことも考えて、虫塚を作りました。虫を供養するだけじゃなくて、虫が好きな人が死んだら、名札でも入れて一緒に供養したらどうかと。茂木くんの言う手塚神社じゃないけど、マンガ好きな人はそこに祀るとか、そういうものを作っていかなきゃいけない時代になったのかなと思います。家制度がもっていた時間的な継続性が消えてしまって、仏壇も神棚もないマンション暮らしでは、「いま」だけになるのは当然です。

東　そういえば、自衛隊の市ヶ谷駐屯地に職務中に殉職した方々を慰霊する場所があるのですが、そこの名前は「メモリアルゾーン」だそうです。カタカナなんです。

人間関係を学ぶ場所が学校しかない

茂木　弔いの形もそうですが、教育もそうですよね。アクティブラーニングとか探究学習とかいろいろ出てきていますが、日本の伝統的な漢文の「素読」などの学習法とうまく接ぎ木できていないような気がします。

東　人間関係を学ぶところが学校しかないことも問題でしょうね。日本では家も地域コミュニティも解体されて、残っているのは学校だけです。僕は、いま日本で起きているさまざまな問題は、子供時代に経験した学校だけが人間関係や上下関係のモデルになっていることに起因していると思います。

たとえば日本の社会運動は、基本的には「先生に言いつけてやる」モデルです。運動が自立していない。キャンセルカルチャーだって、大学に手紙を出す、企業に電話をするなど、批判対象の所属する組織の「先生」に言いつける形です。

日本はここ二、三〇年で会社も壊しました。昭和期の会社は、重要な中間団体で、よくも悪くも多様な役割を果たしていた。病院や社宅があり、社員旅行での出会いや結婚の斡旋のように、娯楽や共同体構築の機能も担っていた。そのような「家族的経営」は、新自由主義とグローバリゼーションの時代に不合理とされ、いまではハラスメントの温床としてたいへん評判が悪いですが、それで支えられていた部分も見なければいけない。そういうものを全部潰して、全て国家で対応といっても、なかなか機能しない。

日本では敗戦以降、国家の機能が縮小し、さらに二一世紀に入ると、小泉改革があって会社の機能もぐんと縮小してしまった。「公（パブリック）」という領域は、国家だけが担うものではなく、かつてこの国では会社や家や地域などがモザイク状に担っていたのだと思います。そういうものをどんどん潰していった結果、パブリックな部分が恐ろしく貧しくなってしまった。

茂木　若い人と話していると、ひろゆき現象なんかも、ひろゆきが面白いと思う人たちのコミュニティという感じもする。昔は「〜預かり」という仕組みもありました。「ひろゆき預かり」とか「養老預かり」とかあって良い。一旦保留にして預かる、というのも一つの知恵で、預かる主体も地域なり家なり、いろいろあったんでしょうね。

養老　そうですね。

東　日本で新興宗教が強いのもコミュニティの貧しさと関係していると思います。心の悩みを聞く誰かは、常に必要なんです。

茂木　東さんが現状では学校しか人間関係を学ぶ場がないと言う通り、心の置きどころが学校以外にあれば、もう少し多重になれるはずなんですが……。ネットは身体性を伴っていないので、なかなか代替できないところがあります。

東　心の安定を何が担うのかということを、日本人はもう少し真剣に考えたほうが良い。

茂木　養老先生はずっと身体性について語られていますが、欧米の思想や市民世界の文化が日本に根付くには、ただ「平和」とか「民主主義」とか言葉で言うだけじゃない工夫が必要なのだと思います。明らかに日本に元々あった思想や文化とは違うものですから。結局、ここでも問題になっているのは身体性ですね。

宗教と心の問題

東　新興宗教の犯罪性が問題になるとすぐに「宗教がダメだ」という論調になるのは、逆に宗教についての考えが貧しいことの表れだと思います。日本では人の心を安定させるシステムがうまく機能していないので、「娯楽産業」という名のもとに変な商売が大量に作り出されている。だれも知らないアイドルに何百万円もつぎ込むのがよしとされているような文化は、ふつうに考えて異様です。そういった歪んだ部分が「クールジャパン」と呼ばれる面白い部分を作り出しているのも事実なのでしょうけど、長続きはしないと思います。

茂木　いわゆる自己肯定感が低いこととも共通の基盤があるんでしょうね。本当の意味で自分の個性を受け入れることができないから、表層的な文化で右往左往する。それが日本の魅力であると同時に、本質的な限界になっています。

養老　宗教の問題は前から気になっていました。学生運動が落ち着いた後も、学生たちはしょっちゅうケンカをしていて、だいたい全共闘、創価学会、統一教会（原理研究会）の三つのグループが対立する。どうしたもんかと思って、当時、駒場にあった統一教会の寮に行ってみたことがあります。信者の女性が食事の世話なんかをしていました。どういう子が集まっているのかと思って見てみると、公に相談ができにくい事情を持っている子たちなんです。親がゲリラ組織にいるとか、ごく一般の学生とはうまく話ができないような複雑な背景をもった子たちが集まっていた。

オウムの問題なんかもあって、ずっと「古い宗教が安心だ」と言ってきたけど、そのわりに坊さんがサボってやしないか。コンビニより寺の数が多いと言われるのに、ぜんぜん機能しているように見えない。

東　そもそも「人の悩みを聞く人」が少ないという問題かな、と思います。人が人に真面目に悩みを話す、それを聞く、というまともなコミュニケーションの場があまりに少なく、表面的な社交ばかりしている気がする。

茂木　八百万の神はいい部分も多いけど、神の敷居が低いということでもあって、いろんなことが「神化」しやすいという問題もありますよね。

東　そうかもしれません。「プチ神」みたいなのが多いですよね。

茂木　「ひろゆき」を神化してしまうような脆弱なメンタリティは何なんだろうと思います。ひろゆきさん本人は、むしろ謙虚だし、自分の限界もわかっている。もちろん卓越している点もあるわけですが。

東　彼ら自身はむしろ強いと思っているのでしょう。ひろゆきさんと同一化することで心の穴が満たされ、現実の悩みをやり過ごすことができる。それは若さゆえの強がりであったことに、四〇代、五〇代になって気付くのかもしれない。
日本では悩み相談みたいなものもコンビニ化していて、ちょっと寂しいときに時間を潰せる「元気をくれるサプリメント」みたいなコンテンツがたくさんある。僕自身、かつてポストモダン社会ではそういうものが機能するはずだと考えていたこともあるのですが、現実はそうではなかったですね。

養老　戦争後の脳天気な転換もそうですね。うまくいくだろう、という感じでやってきたけど、歪みがいろいろ出てきた。こっちはそれをずっと抱えてこの歳まで生きてきたけど、それでも何ができたわけでもなくて、満州からの引き揚げ者が同級生に三人もいたことすら今になって知りました。彼らはどうやって戦争のトラウマを片付けてきたのだろうと思いますが、今更、何も言わないでしょうね。この社会はそういう問題に蓋をしたまま、コンビニ的なサービスで間に合わせてきたんですから。

東　戦争については、九〇年代くらいまでは社会の中に戦争経験者が現役でいたので、いまとはまったく語り方が違っていたと思います。でも彼らが死んでしまうと、戦争の記憶がバーチャル化してしまって、戦争の話は生々しい人間の話ではなく、データを組み合わせて作る物語になってしまう。

茂木　その話はまさに歴史実証主義の限界を示していると思います。残った記録だけでその人がどういう人だったか、この事件が何だったかなんてわかるわけない。たまたまそれが残っているだけかもしれないし、立場によって見えるものは違うわけです。歴史実証主義の「ドキュメンテーションがないものは信じない」という態度は、まさに東さんの言った、人の経験はそれ自体が本来は重要なのに、死んでしまうと残された「データ」だけが参照されて経験への想像力がなくなるという問題とつながっているように思います。

記憶は継承できるか

養老　先の大戦で、海外からの引き揚げ者は民間人でおよそ三三〇万人、軍人が三三〇万人で、合わせて六六〇万人ほどいたと言われています。当時の日本の人口に照らすと一割ちかくにあたる。その人たちの感情や考え方は、戦後の日本に大きく影響したのではないかと思います。日本の地上戦は沖縄だけですから、本土にいた我々とは意識はだいぶ違うはずです。でも、最近になって初めて引き揚げ者だと知ることもあるくらい、彼らが大きな声で直接的に戦争体験を語ることは少なかったように思います。言っても通じないとわかっているから、あまり話さないんじゃないでしょうか。

茂木　戦争体験を語り継ぐみたいなことは本当の意味ではできないと。しかし、日本のメディアは案外安易にそういう前提で報じますよね。深淵を前にした緊張感がない。これが、戦争体験を語り継ぐことです、とプレゼンテーションする。

養老　そんなの嘘に決まっている。

東　語り継ぐとはなにか、という問題については思うところがあります。三月一一日にＮＨＫの番組を見ていたら、記念碑と式典ばかりが映って、震災や津波の映像は一切出てこなかった。ある時期から、ショックを受ける人がいるという理由で津波などの実際の映像を流さないことになったようですが、僕はせめて震災の日だけでも記録映像は流したほうがよいと思っています。当然、思い出してつらい人はいるとは思います。でもつらいとか悲しいとかを含めて記憶です。悲しみは思い出したくないが、被害だけは伝えていく、というのは無理な話です。それでは忘れてしまう。

茂木　平和学習などで被災された方の話を聞いて作文に書く、というのがありますが、僕はそれにずっと違和感がありました。養老先生じゃないけど、ちょっと話を聞いたからって理解できるようなことじゃない。そこに圧倒的な経験の非対称性があるということを教えなくてはいけないのに、三〇分くらい話を聞いてわかった気になる教育は違うんじゃないかと思う。むしろ、聞いてから「沈黙」することのほうが尊い。

養老　中国で権力者の暴力を語るとき、紂王が遊びで妊婦の腹をかっさばいた逸話が必ず出てきます。ある意味、「悪」を表す紋切り型になっている。同じような紋切り型が平和教育にもあるのではないでしょうか。「戦前の日本軍が悪かった」といっても、自分のことではない以上、何をもって「悪かった」とするかが明確にならない。個人が悪かったのか、命令したやつが悪かったのか。でも命令したやつも命令されている。そうすると陛下までいくしかない。

茂木　ただ「過ちを繰り返さないように」と言うだけでは、思考停止でしかないですよね。

東　七三一部隊で人体実験をしていたという加害者側の証言は、二〇〇〇年代初頭くらいまではけっこうありました。テレビもインタビューしているし、本も出版されています。しかし彼らが鬼籍に入っていくと、そんな事実はなかった、証言者は中国人民軍に洗脳されていたのだという論調が強まってくる。当人たちは死んでいて反論できないし、残酷なところには人は目を背けるからです。アウシュビッツやベトナム戦争の映像なども、最近ではほとんど流されなくなりました。記憶の継承が言われているわりに、実際の継承は難しい時代になってきたと思います。

死が抽象化される

養老　映像がないというのは、僕も前からしみじみそう思っています。人体標本の展示に対しては、昔から「見せるものじゃない」という批判がすごく多い。それなら、毎日見て解剖していた僕はなんだと思います。たいてい「死体を金儲けの手段にするな」というのも合わせて出てきますが、あの標本を作るのに、どれだけの金と労力がかかっているかには思い至らない。

「見せるものじゃない」がさらに進むと、交番の前の「本日の交通事故死亡者1名」になる。死が完全に抽象化されて数になってしまう。本当に交通事故を防ぎたいなら、現場写真にしたほうが効果あるだろうと思いますが、そうはならない。この程度でいいんじゃないの、という、やる側の自己満足に過ぎないのです。でも死んだ人にとっては「昨日の死者1名」にされたら、たまったもんじゃない。

茂木　本当にそうですよね。女性比率を何割にしろ、というのにも同じものを感じます。本当は一人ひとりが違うのに、女性という属性だけでひとくくりにするのは、さきほどのカントの定言命法の危険性とも関わる話です。

東　今回の「政治家女子48党」みたいなハッキングをどう防ぐか、という問題にも繋がりますよね。まずは数として女性議員を増やすべきという議論だけしていると、どんな候補者が出てきても応援せざるを得ない。

養老　その人が女性であるかどう証明するんだろう。

東　トランスジェンダーと「女性枠」の衝突の問題はいずれ出てくるでしょう。

茂木　学習塾でも、東大○○人とか、いつまでたってもやっている。あれが嫌なのは、個々の生徒の物語をただの数にしているからだと思う。

東　あれは半ばゲームですからね。

養老　医療に似ていますね。血圧がいくらだとか。

東　茂木さんがおっしゃることはよくわかるし、同意したいのですが、他方で人には、「どんな物事でもルールを決めると途端にゲームとして捉え、ゲーム自体の点数稼ぎに邁進しはじめる」という性質があるでしょう。それが人間の性質だとすれば、受験勉強のようなものは阻むことはできないし、批判しても仕方ないように思います。

さきほどのカントの話にもつながりますが、このところ僕が考えているのは、「人間はあらゆるものをゲーム化するけれど、他方でルールは必ず変わるし破られるので、それを絶対化すると長期的には負ける」ということです。人間はたいへんクリエイティブなので、ルールが作られると、必ずその穴を突こうとする。実際、憲法九条だって、穴を突かれて解釈改憲ばかりやられて、いまや有名無実化しているわけですよね。でも護憲派は九条を絶対化することしかできない。本当に重要なのは、ルールはたえず破られるという前提で、ルールをどんどん変えていくことなんです。

茂木 イギリスの経済学者チャールズ・グッドハートが言った「グッドハートの法則」というのがあって、それは「パフォーマンスの指標自体が目的になったとき、それは良い指標ではなくなる」というものです。例えば幸福度調査をすること自体はよいが、幸福度を上げることを目標にすると必ずハッキングされるので、指標としても役に立たなくなるということです。
数学が得意で、高校生くらいから数学の論文をたくさん書いている学生がいて、でも共通テストができないために、国内の有力大学ではなく、アメリカの大学に進んだというようなケースを耳にします。これだけだと、日本の受験制度の問題なのですが、では、日本でも論文を書いて大学に入れるようにしよう、ということになると、今度は論文はハッキングできるという問題が出てくる。

東　必ずそうなりますよね。ルールを絶対的なものにしたいのは、人治主義を法治主義にしたいからです。それはいっけん正しい。でも僕は、人治主義がプラスされないと法治主義は機能しないのだと思う。人はルールを必ず破り、ハッキングするので、その成否を個別ケースでジャッジする人間が必ず必要になる。そしてその人間の判断はルール化できない。そこに新たにルールを作ると、こんどはそちらがハッキングされ、無限後退に陥るからです。最近は人工知能が話題ですが、この条件は人工知能の進化によっても変わらないと思います。

茂木　ルールを絶対化せず、状況や人を見て判断しようというのは普遍性をなくすことですからね。英語ができるかできないかみたいなことも、話して判断するのが一番確かです。そこには二人称性が残っている。僕がケンブリッジ大学に留学したとき、お世話になったホラス・バーロー教授との「面接」は、グラスゴーの学会で行われたのですが、しばらく喋って「だいじょうぶそうだね」と言われた。テストのスコアとかだとわからないからと言われました。法における普遍性を、日本は条文で解釈しようとするから出来損ないの人工知能みたいになる。英米法のコモンローのように、人間が個々の状況で自分で判断するというプロセスを重視すると、そこに良い意味での二人称性が立ち上がって、結局はそのほうが強靱です。

第五章　憲法

憲法の歪み

養老　「憲法の歪み」というテーマで最初に思ったことが、われわれは言葉と実態をどれだけ連結して考えているか、ということです。僕なんかは、言葉は言葉、実態は実態で別だと思っている。それが、「始めに言葉ありき」の世界と非常に違うところじゃないかと思います。

日本では公文書をすぐ廃棄したり、書き換えたりして、発覚したときには皆怒るけれど、本当にそういうものを大事にしているのか。それが憲法の問題とも絡んでいると思います。

茂木　「戦後の平和主義はなんの力も持っていない」と言われますが、そもそも平和主義なんて本当にあったのか。ただみんな戦争が嫌だと思っただけです。

養老　「戦争が嫌だ」という気持ちは本物だけど、「平和主義」はただの言葉であるということですね。

養老　憲法についても、問題はそこにあると思います。言葉で書かれたことでこの国はどのくらい動くのかと考えたとき、この国は言葉では規定できないのではないかと思うのです。

茂木　言葉と実態が違っても違和感がないから、公文書の重要性も低く感じてしまうし、憲法と現実がズレていても、無理やり解釈してどうにかしてしまう。解釈問題によく表れていますね。平和主義という言葉が空虚なものに聞こえるのもそのためかもしれません。

養老　東さんはどう思いますか。法体系は社会のモデルとして、現実を規定することはできるのでしょうか。言葉は現実を代替できるのか、と言い換えてもいいですが。

東　言葉と現実の関係は難しいですね。たいへん大雑把にいいますと、二〇世紀前半に、現実と言葉が一対一で対応するべきだという論理的な哲学の一派が現れます。論理実証主義と呼ばれ、相対性理論や量子力学などの科学界の革命と対応する形で出てきたものです。そこからさまざまな論理学的なツールが整備され、現代のコンピュータ・サイエンスにもつながっていく。

それはいいのですが、哲学そのものとして見た場合は、言語と現実を一致させることには無理があり、完全な一致は目指しても意味がない。言葉というものは厄介で、人間はいくらでも多様な解釈をするし、むしろそのように何度も再解釈されることによって生き残っていくものです。つまり「言葉を厳密に使う」という発想そのものが厳密には維持できないんです。そのような認識は二〇世紀半ばにさまざまな哲学者によって同時多発的に示されたものですが、いまでも変わっていないと思います。

ただ、「現実と言葉は対応しない」という認識を野方図に拡大解釈すると、今度は言葉なんてなんでもいいことになってしまう。それがポストモダニズムといわれるもので、一九七〇年代あたりから実際にそのような考え方が強くなった。その反動で一九九〇年くらいからは今度は実証主義が戻ってきて、いまではむしろ「現実と言葉は対応させるべきだ」という発想がふたたび強くなっていると思います。ただ僕には、そういう新しい実証主義は、哲学的な基盤は貧弱で、むしろ政治性に支えられているようにみえます。

以上を要約すれば、まずは二〇世紀前半に論理実証主義があり、言葉と現実の一致が夢見られたと。けれどもそのあとウィトゲンシュタインほかいろんな哲学者の批判があり、それがさらにポストモダニズムにつながっていくのだけれども、それはそれで問題があって、いまはポストモダニズムの反動として新しい実証主義が台頭している。でもその基盤は、論理の厳密さよりも政治的正しさにあって、僕としてはあまり信用できない。むしろいまの実証主義はポストモダニズムと野合していて、政治的に正しい目的のためには言葉をいかようにも使うのが、新しい実証主義であるというのが僕の見解です。

養老 なるほど。

東 そういう点でいまは変な時代で、一方ではみんな、記号と現実は本当は結びついていなくて、言葉はいくらでも解釈可能であることを知っている。しかし他方では、言葉は現実を反映しなければならず、なにが正しいかは「実証」で決まるとも主張されている。その両方がある時代なんです。二〇世紀思想史の流れの果てにこういう状況が生まれるのは、僕みたいな仕事の人間から見ればとても良くわかりますが、歴史を知らずに現状を見たらすごく混乱して見えるはずです。

ジェンダーにしても、一方で性は社会に押し付けられたものだと言いながら、他方では性自認は生物学的に決まっていて動かすことができないとも言っている。それら二つの主張が、争っているというより、場合場合で使い分けられている。

いずれにせよ、言葉は厄介です。いまのウクライナ戦争も、ロシアは「特別軍事作戦」としか言っていません。それはむろん欺瞞ですが、しかしそもそも何をもって

「戦争」というのかはけっこう曖昧なんですよね。具体的な戦闘の有無は目の前で起きていることを見て判断できるけれども、「戦争状態」というのは概念でしかない。憲法九条をもちながら戦争することだって可能でしょう。

茂木　朝鮮戦争も平和条約を結んでいないので、韓国と北朝鮮はテクニカルには「戦争中だが休戦している」ということですよね。

東　そもそも日本だってロシアと平和条約を結んでいないので、テクニカルには戦争状態なのかもしれない。

同性婚でも夫婦同姓？

茂木　憲法解釈の問題と性自認の問題が結びつくのは、現代の文脈においては大変論争的なポイントだと思います。例えば、性自認が女性の人はすべて女性用トイレを使えるか、という議論があります。

養老　使ったら誰が困るのですかね。困らない人もけっこういるんじゃないかな。

東　トランスジェンダーの問題のほとんどがトイレと風呂の話に終始してしまっている状況のほうが問題だと思いますけど……。ただ、一部でジェンダーに関して先進的な議論がされているのはいいけれど、現実はまだまだ古いハラスメントや性犯罪が横行している。本当はそういうのを一つ一つ着実に潰していかなくてはいけない段階にあるはずなのに、意識が先に行き過ぎているように見えることもあります。とはいえ、僕も年齢が上がってきたので、今の二〇代とは感覚がずれてしまっただけかもしれない。

養老　そんなこと言ったら僕なんか圏外ですよ（笑）。

茂木　同性婚の問題はどうですか。世界的に見ても、日本は比較的、同性婚に強く反対する人が少ないように見えます。

東　日本は夫婦別姓より先に同性婚が実現するかもしれませんね。背景には外国からの圧力が大きい。夫婦別姓は外圧がないので一向に進まない。その現状はいかにも日本的だなと見ています。

茂木　たしかに夫婦別姓には感情的な反対がすごく強いですね。とすると、日本では同性婚をしても、どちらかの姓に揃えなくてはいけなくなるのか。

東　可能性は大いにあると思います。同性婚でも相手の家に入り、お墓もそちらに入る。家制度を守ったまま同性婚をやることになるのでしょう。

養老　夫婦別姓に抵抗を持つ人が多いのは、家制度が長く続いたからかもしれませんね。

憲法は変えるべきか

養老　日本国憲法はGHQに押し付けられたものだから、新しい憲法を作るべきだという話をよく聞きます。ただ、外圧で作られたと言うなら、私たちは外圧によって、服から食べ物から、日常生活を嫌というほど変えてきた。憲法だけ外圧だと言われても、ほとんどが外圧だと言うしかない。それが嫌だという気持ちはよくわかります。そう思う人は自分で考えてみたらいい。試案を作っている人もたくさんいますよね。

茂木　東さんも憲法の試案を作っていますね。

東　僕はもともと改憲派ですが、僕の世代はそもそも二〇代の頃にそういう機運があったんですよね。夫婦別姓だってすぐできると思っていた。でもそれから長いあいだ一向に変わらず、いまや護憲・改憲は変な政治的シンボルになってしまったので、改憲はできないのではないかと思いつつあります。

養老　自分で作るというのは、実際の社会で下から持ち上がってくるものですから、それが理想的だと思います。それがあるなら、いまの憲法なんてまるごと捨てちゃえばいい。

でも少なくとも現状では、憲法はあくまで理念であって、実際の運用では多少の齟齬はしょうがないんだ、という考えで動いているように見えます。きちんと実態に合った憲法に作り直すべきか、実態と乖離した理念のままでいいのか。それは、憲法（言葉）がどのくらい現実を規定できるか、という問題だと思います。

僕は、どうしても言葉は言葉でしょ、というのが最後に出てきてしまいます。どのくらい憲法と実態が合わなくてはいけないのかというのがわかりません。

東　こういうふうには言えるかもしれません。難しくてわからない言葉をよく「念仏」といいますよね。あれは言い得て妙で、念仏は本当はちゃんと意味があるわけです。でも、サンスクリット語で書かれたものを中国語に置き換え、それをさらに漢字の音読みで読むということをやっている。外国語で書かれた音訳を日本語でさらに音読みするという二重の翻訳を通しているので、もはや原語の音ですらないし、当然それだけ聞いても理解できるわけがない。でも日本では、念仏はそういうものとして受容されてしまった。

つまり日本においては、理念というのは訳のわからない言葉で書かれたものであり、絶対的に意味不明なんだけど、それを唱えていればなんとかなるという発想が学問や宗教の中心にあり続けているわけです。しかも、これが改革されずにずっと来ている。

その点では親鸞はたいへんラジカルで、いろいろ考えた挙げ句に「南無阿弥陀仏」さえ唱えればすべてＯＫ、というところに行き着く。日本はそもそも呪文国家みたいなところがある。その発想と、「カミカゼ」と言ってなんとかしようとする発想は実はすごく近いんじゃないか。

茂木　たしかに憲法は念仏っぽい（笑）。世界がどのように変化しても、この憲法を唱えていれば平和が保てると信じている人たちが一定数いる。

東　言葉と現実はそもそも乖離しているからしかたないと養老さんはおっしゃいましたが、とはいえ、日本は乖離が激しすぎるのだと思います。言葉と現実は必ず乖離するので常に多様な解釈が生まれるものですが、その悪用には一定の歯止めが必要です。さきほどのポストモダンの罠とも通じる話です。

茂木　日本国憲法もGHQから来たという意味では外来の言葉ですね。

憲法九条は般若心経である

第九条
①　日本国民は、正義と秩序を基調とする国際平和を誠実に希求し、国権の発動たる戦争と、武力による威嚇又は武力の行使は、国際紛争を解決する手段としては、永久にこれを放棄する。
②　前項の目的を達するため、陸海空軍その他の戦力は、これを保持しない。国の交戦権は、これを認めない。

東　外来だけど、わかりやすい文章です。問題は、憲法九条の、こんなに簡単な文章に対して論争が起こることです。本当は論争が起きるはずがないんですよ。明確に「戦力を保持しない」と書いてあるのだから、自衛隊を作るなら変えなくてはいけない。そこで「戦力」とは何かとか、「放棄」とは何を指すかとか言い始めたら、もう日本語そのものが壊れていきます。日本国憲法がラテン語や古語で書いてあるなら解釈論争もあり得るかもしれませんが、普通の日本語で書いてある。立憲主義を謳っておきながら、官僚や憲法学者がその解釈を独占する現状とは一体なんなのか。

養老　それで思い出すのが、東大での会議の話です。森亘さんが東大総長だったとき、法学部の学則と東大全体の学則を比べてみたら、ある条項について語尾が違った。そこで、法学部の学部長だった松尾浩也さんに「こういう語尾の違いは、法学部的には何か違いがあるのですか」と質問したら、松尾さんがなんと答えたかというと、「解釈せよと言われれば、いかようにも解釈いたします」。そこで僕は法学部が何するところなのかやっと理解しました。

その後、アナウンサーと対談したとき、その方は本を書いていて、「他の解釈を許さないような、できるだけ正確な表現をしたい」と言ったら法律家に笑われたと言っていました。理科系の論文も、できるだけ事実に即して表現するように書きますよね。でも法律家はできるだけ多様な解釈を許すように文章を作るんだ。

茂木　憲法もまさに、いかようにも解釈してみせます、ということなんですね。

東　日本では昔から、自分たちのわかる言葉で信仰を作るとか、社会について考えるということをやってこなかった。そういう伝統が蓄積していって、難しいことは誰か専門家が解釈してくれるのだ、そして現実とその解釈が乖離していても気にしないようにしよう、となっているのでしょう。それが社会のダイナミズムを阻んでいる。

養老　よくわかります。

茂木　憲法を変えるのが、般若心経のこの文字を変える、みたいな気分になっているとしたら、それは確かにとんでもないことですね。

東　ヨーロッパの宗教改革が画期的だったのは、聖書を俗語訳して、神の言葉を誰にでもわかるようにする運動だったからです。聖書の俗語化を抜きにして近代は語れない。「聖なる言葉を俗語にする」というのは大発明だった。実際、イスラムではコーランはそのままアラビア語で読まれている。聖なる言葉を俗語にできると考えたところがヨーロッパ文明の強いところだと思います。

整合性をつけることへの欲望がない国

東　日本の本屋で哲学の棚に行っても、荻生徂徠とか本居宣長はまず置いていません。それは哲学ではないとみなされている。岩波文庫に入っているかなというくらい。他方、中国の書店にいって驚いたのは、孔子から始まって、哲学コーナーのかなりの部分を中国哲学が占めていたことです。彼らの中では歴史がずっと繋がっているのだなと思いました。日本は歴史が断絶している感じがあります。

茂木　ここまで話してきて思うのは、日本は分裂に慣れているのかもしれないということです。そもそも漢文が入ってきて、それをひらがなにし、カタカナにし、読み下し文にして、さらに明治以降はヨーロッパの言葉まで入ってきて……。日本は整合性をつけることへの欲望が希薄なのではないでしょうか。

東　そう思います。歴史問題もすべてそれだと思います。

養老　確かにそうですね。それでいいじゃないのと思っていたら、外の人にダメだと言われる。それがストレスになっている。

東　韓国は整合性をつけることを頑張っている国ですね。科挙も朱子学も輸入し、名前も中国風に変えている。日本は科挙もやっていないし、名前も変えなかった。中国から取り入れていない部分もかなりあります。

茂木　何を入れて何を入れないかを取捨選択した。つまり外から日本国憲法を入れても変わってない部分もあるということかもしれません。

養老　文字で書いた憲法くらいで変わる国じゃないですよ。それはただの字だろ、って。この国で、言葉が社会を規定するとは思えない。だから、いくら憲法に戦争放棄が書いてあろうと、「防衛費倍増」と言われると気になります。最近は東富士の演習場でも演習が増えて、箱根の家が揺れました。顕微鏡でものを見ているから、少しの揺れでもわかるんです。

日本は軍人国家である

養老　防衛費の拡大で気になるのは、戦前の轍を踏まないかということです。「天皇制」といっても、天皇の下にはいつも武力をもった幕府がありました。日本の歴史を見れば、天皇制の中から鎌倉幕府という暴力集団が成立し、江戸幕府まで続きます。尊皇攘夷の明治政府も同じ構造です。一〇〇〇年近く続けてきたものから簡単に抜けられるのでしょうか。

言い換えると、暴力をいかに言語で統制するかという問題を本気で考えているのかということです。「シビリアン・コントロール」といいますが、そもそも英語ですから。自分の国の言葉にもできないようなことが身につくのかよ、と思います。

東　重要な指摘だと思います。おっしゃるように、日本は武家支配が長い軍人国家です。鎌倉幕府以降、一九四五年までずっと武士や軍人の時代だったわけで、むしろ戦後日本のほうが軍政の影がない稀な時期でしょう。だから軍人以外の人たちこそが社会の実体だ、ということをあまり真剣に考えたことのない国なのかもしれませんね。

茂木　戦後日本の出発点となったＧＨＱだって、つまりは「アメリカ軍」だもんな。つまり日本国憲法は「軍政」の下でできた。

東　軍政下で作った平和主義です。だから朝鮮戦争が起きたら即、脱臼されてしまう。

茂木　第九条だって本当は、「戦力は保持しない、但しアメリカ軍を除く」というのが実態で、日本国内に軍はずっとあったんですよね。

東　日本の民主主義の起源として、「船中八策」とか「五箇条の御誓文」を持ち出してくる人がいるでしょう。けれど、僕の理解では、民主主義というのはまず人民が力を持つ、人民こそが社会の本体であるという発想が必要なんですよね。「和が大切」というのとはちょっと違うし、「みんなで決める」といっても「偉い人がみんなに意見を聞く」だけではだめなんです。自分たちで決めないと。けれども日本では、みんなでわいわい言ったあと、「偉い人」が決めて丸く収めてくれるのを民主主義だと思っているふしがある。ある意味で権威主義的な国だとも言えますよね。

茂木　じつは権威主義的というのは、そうかもしれない。

養老　そうですね。憲法の問題にせよ、民主主義の問題にせよ、今の状況だとどうも空中戦のように思いますね。

日本語は事実確認に向いていない

養老　言葉は社会を規定できるか、というのが憲法問題の根底にあるという話をしてきましたが、言葉の問題について、もう少し掘り下げて話してみたいと思います。

昆虫の分類をやっていると、ここがどうなっているとか、いちいち言葉で書かなくてはいけません。いまだったら高精細の写真で見せればいいだろと思いますが、分類学では必ず言語化しなくてはいけない。解剖学もそうです。解剖して見ればいいじゃんと思いますが、そうはいかない。解剖学でも分類学でも、根本的な問題はどう言語化するかです。

なぜかといえば、ヨーロッパの学問は、物と言語の結び付きが強いからです。裁判でも欧米は証言主義で、何を言ったかが証拠になるから、弁護士は余計なことを喋るなと言う。逆に日本は心情主義で、その人がどう思っているかが重要になる。「事実」「言葉」「言葉を使う人」の三つがあるとしたら、日本の場合は「言葉」と「言葉を使う人」の関節が硬いけど、欧米では「事実」と「言葉」の関節が硬い。「事実」と「言葉」の関節が硬いからこそ、法律にも公文書にも意味があるわけです。でもそこがずるずるな日本では、公文書もクソもないから、そんなものはどっかいってもおかしくない。

そういう違いは、オーストラリアにいたときに日常でしみじみ感じました。ドライで良いなと思う半面、ズレを感じつつ、それを無視して暮らすのには疲れてしまって嫌でした。俺はやっぱり日本人だなと思いました。

東　今のお話を哲学的な言葉にひきつけて言うと、言葉には「事実確認的機能」と「行為遂行的機能」があると言われます。そこで日本語では「行為遂行的機能」がとても強い、だから事実確認の言葉として使いにくい、ということだと思います。

言葉と現実がどう結びつくかというさきほどまでの話とも関係しますが、日本語では言文一致もあまりうまくいっていません。外国の学会では講演原稿を作って読み上げることがあります。でも日本語でそれをやると「原稿を読み上げている講演」になってしまって、聞き手の理解を阻害してしまう。これは話し手の技術の問題ではなく、じつは言葉そのものの問題なんですよ。

多くの人はあまり意識していないのですが、日本語は、書く言語と話す言語にかなり明確な違いがあります。「だ・である」「です・ます」の違いもその一例ですが、それ以上に語彙も違う。耳で聞いても理解できないけれど、読んだらわかるという言葉がたくさんある。プレゼンやスピーチが苦手な人が多いのはそれが理由だと思います。明治以降の日本語の標準化のプロセスで、何か失敗したように思います。

養老 日本は昔から「読み書きそろばん」ですから。つまり、「読み書き」が日本語であって、お喋りは入っていない。ところが古代ギリシャでは、ソフィストという、弁論術を教えることを仕事にしている人たちがいた。そのくらい話すことに対する考え方が違いますね。日本でそんなことしようとしたら、「お前、落語家にでもなるのか」で終わってしまう。

東 たしかに「話す」のを職業にするというと、落語をやるくらいの受け取られ方をしますよね。いまは弁論術イコール論破みたいに受け取られてしまっていますが、本来は話す技術とは、聞く技術でもあります。だから、話す技術が教えられていない日本人は必然的に聞く技術もなくて、インタビューもすごく苦手なように思います。

僕はゲンロンカフェを一〇年以上やって、たくさんの人の話を聞いてきましたが、そこで気付いたのは、日本のアカデミシャンは聞く力が弱いということです。自分の主張ばかりする。話し相手がいつも生徒や同僚なので、自分の研究の内容を「教える」という関係性しかもったことがなく、対等な対話の訓練を受けていないように思います。このことと養老さんのお話はすごくかかわっている。

厳密には異なるのですが、さきほど述べた「事実確認的な言葉」と「行為遂行的な言葉」の違いは、「書く」と「話す」の違いに重なるところがあります。話すことには必ず発話者がいます。話を聞いているときは、発話者が目のまえにいる。けれども書くことは逆に発話者を消すものです。日本語で言文一致がうまくいっていないのは、この二つの用途の言葉が別々に発達しているためだと思うんですよね。「目の前の人間に対して話し言葉で客観的なことを伝える」というのができない。だから僕は、書く日本語と話す日本語が違うことを教育課程できちんと教えるべきだと、昔から思っています。しゃべるように書いてはだめだし、書いたまましゃべってはだめなんです。意識的に使い分けられるようになると、みんなもっと日本語がうまくなるはずです。

茂木　国会答弁がまさにそうですよね。官僚の書いた原稿を読んでいるだけで対話になっていない。読み上げていることと心情がずれていることが前提になっている。『古事記』を口述筆記したという稗田阿礼まで遡るともう少し違いそうですから、どこかに断絶があるんでしょう。東さんはそのような断層をつくっているのが明治だとおっしゃいました。

東　そう思います。いまの話を別の言葉でいえば、日本語は第三人称を作れていないという話になる。客観的記述に向いた日本語が作れていない。

茂木　どういうことですか?

東　日本語の張り紙って文章が長いですよね。「No Smoking」で済むことが、「ここでは煙草はご遠慮ください」になる。「ここは禁煙である」と書くことが失礼に当たるように感じてしまうからです。事実をそのまま述べると失礼になるというのはすごく変なのですが、日本語ではそういう感覚がある。それはつまり、日本語では「事実確認的な言葉」も「行為遂行的な言葉」として受け取られがちだということです。ツイッター（現X）なんかでも、「AはBである」と言うと「そういう断言はいかがなものか」という批判が返ってくることがあるでしょう。「AがBであることが事実かどうか」ではなく、単に言い方がよくないというリプライが来ちゃう。そういうことがすごく多い。つまり、日本語には「AはBである」とだけ淡々と書く言葉の形がないんですよ。でも、「ここは禁煙である」と書いたらおかしいということが、本当はおかしい。

養老　明治はそれを漢文にしてなんとかしましたね。

東　おっしゃる通りで、伝統的にはそういうものは漢文にアウトソースしていたのだと思います。「煙草を吸うな」はダメでも「禁煙」は許された。それが「禁煙」だけでも失礼だということになり、どんどんぼんやりとした表現になっていった。

これは、日本語話者のほとんどが日本語ネイティブであることにも関係していると思います。皆が細かい差異に敏感で、イントネーションや語尾などに過剰なメッセージを読み取りがちです。日本語の張り紙に併記されている英語表記がしばしばPleaseから始まる奇妙な文になりがちなのも、「ご遠慮くださいませ」みたいなニュアンスを無理に直訳しようとしてしまうからでしょう。

茂木　違う言語は違う思考パターンに基づくのに、日本語のアタマのまま直訳しちゃうということですね。それはよくわかります。大江健三郎さんだったかな。小説家になるためにはどうすればいいかとアドバイスを求められて、何か外国語を一つ徹底的にやりなさいと言ったとか。言語のデュアル性は母語である日本語をも豊かに耕します。その恩恵を受けていない日本人が多い。ぼくは、日本語でものを書くときにも、英語でそれに対応する概念がないときにはそのような表現は使いません。人生には三つの「坂」があるとか、心はどこにあるのかとか、そのような日本語圏でしか通じない思考の立て方が苦手です。トイレに貼っている親父の教訓みたいなやつ。

養老　アーサー・ビナードさんが「シンガポール攻略の頃の新聞記事を読むと当時の状況が目に浮かぶようによくわかるけど、いまのウクライナの状況は記事を読んでもわからない」と言っていました。戦時中の日本が絡んでいるから状況が把握しやすいということはあるかもしれませんが、それにしても、いまの記事からはウクライナの具体的なことが何も見えてこないと。新聞記事は記述文の典型ですから、そういうところにも日本語が事実確認的でなくなっているところが表れているのかもしれません。

日本人はなぜ英語が下手なのか

茂木　これだけ日米関係が密なのに、なぜ日本人は英語が下手くそなんだろう。国際的に見ても、日本七不思議の一つですね。

養老　それはいまの東さんのお話が理由ではないですか。事実だけを言う言語になっていないから、事実だけを言う言語をうまく使えない。

東　日本語だと、「どこから来ましたか」「東京です」だけだとぶっきらぼうに聞こえてしまう。「一応東京から来たんですけど」みたいに、余分なことを言うのが「話をする」ことになっている。行為遂行的なコミュニケーションが過度に発達していることがむしろ、外国語でのコミュニケーションを阻害しているように思います。「これはペンだよ」と「これはペンなんだ」のニュアンスの差をいちいち考えていては外国語なんて話せません。

養老　そう思います。英語で書かれた昔の動物学の教科書の記載を見ると、対句なんかを上手に使っている。記載文なんて、筋がないと読めたものじゃないから、そういうのを見ると上手いなあと思います。でもそれを日本語でやろうとするとベタベタになってしまう。

茂木　モーションアフターエフェクト（運動残効）という、一方向に動くパターンを見た後、静止した対象が逆方向に動いて見えるという現象があります。「滝錯視」という名前でも知られているものですが、これを最初に報告した「ネイチャー」の論文が、「スコットランドで滝を見ていて、その落ちる水をじっと眺めていると……」みたいな、いまでは考えられないくらいウェットな文で書かれている。南方熊楠が論文を書いていた頃ですから、昔は英語も、もう少しパフォーマティブ（行為遂行的）だったのかもしれません。

そこから英語はどんどんドライでディスクリプティブ（事実確認的）な方向に進化していって、現在のコンピュータ・プログラミング言語に相性がよくなっていった。日本語はプログラミング言語としては全く使えません。文化と文明で言うと、日本語はパフォーマティブなところに粘着してしまった結果、文明になることに失敗した言語なのかなと思います。

言語が思考を規定する

東　さきほども言いましたが、そもそも「だ・である」と「です・ます」が両立している時点で問題だと思うんですよね。使い分けに明確なルールがないにもかかわらず、同じ文章でもまったく雰囲気が変わる。心情に関係なく事実を記述する文体が二種類あるのは問題ではないでしょうか。

茂木　日本語は一人称もすごくたくさんありますもんね。「私」「僕」「俺」「吾輩」「我」「オイラ」「ウチ」……。

東　たくさんあるのは豊かさでもあるんだけど、標準的な文章でどれを使うかがあやふやなのが問題です。ニュートラルな文章を書きたくても、二〇歳の書き手が「私」と書くのと年配の方が「私」と書くのではニュアンスが変わってしまう。実際に、僕は二〇代前半で物書きの仕事を始めたのですが、最初は「私」と書いていた。でもどうも「スカしてる」と思われているみたいなので、途中から「僕」に変えた。そうしたら今度は三〇歳くらいで「幼稚だ」と言われるようになりました。どうすればいいんだと。しかも性でも言い方が変わります。

英語だったら高校生でも大統領でも「I」で済むのに、日本の高校生は「私」なのか「僕」なのかで悩まないといけない。言語が高校生のスピーチのあり方自体を規定してしまっているということです。

茂木　そういうややこしいところが、日米関係のややこしさにもつながるのかもしれない。アメリカ側からすると、クリアで実務的な対話をしているつもりが、日本側からすると、いろいろとウェットな文脈や連想なしにそれをやると乱暴に見えてしまう。

養老　英語だとややこしいところは全部ぶっ飛ばしてしまいますからね。英語になると、日本語の中にあったものが「ない」ことにされてしまいますから。

茂木　そういう意味では、いろいろなことを捨てないと国際化できない国なのかもしれませんね。言葉が女性と男性でこんなに違うのも、世界的に見ると変わっている。

養老　いかにややこしいか、自分たちが気づいていないんですよね。

茂木　たしかに、一度の会話のなかでも「私」「俺」「僕」をぜんぶ使ったりする。僕自身も、会話の中でそのようなニュアンスを使い分けているように思います。しかも、あまり自覚することなく。

東　最初から「俺」だと偉そうだけど、「私」から「俺」に変えると無意識に親しい感じが出たりとか。女性は大抵「私」でいけますが、男性の場合はそうでもないですね。

茂木　それで思い出したのは、ドイツ語でもSie（敬称二人称）からdu（親称二人称）に変えるときは話し合って決めるとドイツ人に聞いたことがあります。そろそろduにしようかねって。むしろ全てYouで済ませる英語が特別シンプルだから、リンガ・フランカ（国際共通語）になり得たんですね。

東　英語自体が複数の層からできていて、ピジン言語[10]というか、クレオール語[11]みたいなものだと言われてますね。

茂木　複雑な文化がシンプルな文明に出会ったときに何が起こるか、という日本の経験は、今後、他国にも役立つかもしれませんね。

養老　ただ、聖徳太子くらいまで戻ると、日本は東アジアの吹き溜まりです。異文化の人がいろいろ入ってきて、その中でクレオールとしてできたのが日本語だと考えると、アメリカを一〇〇〇年前にやっているのが日本だとも言えるのではないかと思います。

問題を発見すること

東　こうしてお二人といろいろなテーマで話すのはとても楽しいのですが、いま学問の世界は細分化されてしまって、なんでも専門家しか喋ってはいけないような雰囲気になっています。それが嫌なので、僕は大学を離れて在野で、浅く広くというスタイルで行くことにしましたが、僕の世代では珍しい選択肢ですね。

茂木　じゃあ、なんのために学問やっているんだろうね。

東　そうなんですよね。みんな最初に志したのとは随分違うところに行きついているように見えますが、きっとやむを得ないのでしょう。

養老　日本の学問は方法じゃなくて対象にこだわるからですね。「解剖」というと、「人体」とか「カエル」とかになっちゃう。本当は、解剖は「方法」そのものなんです。でもそういうふうに見る専門家はいません。

茂木　ここで養老先生が言われる「方法」とはどういうことですか。

10　ピジン言語：複数の言語の要素から成る、単純化されたコミュニケーション言語。
11　クレオール語：現地語と外来語が混在する状況から生まれた新しい言語。また話者の母語になった混成語。文法が不規則なピジン言語に比べ、簡潔で規則的な文法をもつ。

養老　自分が解剖をやってきて教わったことは、対象に没入してもなんにもならないということです。死んだ人を観察するなんてことは、人間は一〇〇〇年前からやっている。死体を見るだけなら「九相図」を見たらいい。「人体なんて見て何か新しいことありますか」とよく言われましたが、その通りです。死んだ人を毎日ただ解剖しても、新しいことは何も出てこない。自分で問いを立てないといけないわけです。若い頃はそれがいちばん大変だったし、つらかった。

そういうつらさは患者さんを見ていたらありません。患者さんは自ら問題をもって来てくれるわけだから、自分で問題を発掘する必要がない。でも、問題は常に向こうから来てくれるものだと思うのは、怠けているんじゃないかと思う。みんな本気じゃないというのは、そういうことです。

茂木　問題発掘の苦労をしないのが普通になっているところが、本気で生きていないというところだと。

養老　関係あるんじゃないかと思いました。仕事の前提を詰めない。仕事するためにはそんなことしないほうが絶対に有利ですから。兵隊が鉄砲持って前線にいるときに、戦争の意味なんて考えたら邪魔になる。

東　いまのお話はとても共感します。文系だって古いものを読んでいるだけですから、そこに問題を発見しなくては意味がない。問題を発見することは問題を解決することとは全然違う。いまの世の中は解決ばかり求めますが、解決することは実はそんなに難しくない。例えば、茂木さんとトークショーをやるとして、そこで関係者に連絡したり、場所などいろいろなものを手配したり、お客さんからのクレームに対処したり、そういうのがいわゆる問題解決ですが、問題の発見とはそもそも「茂木さんとトークをしたらいいのではないか」と思いつくことです。そして、その発見がないとどうしようもない。古いものを読むこととは、古いものを読んで新しい価値を発見するということなのですが、その重要性が日本ではあまり理解されないですね。

養老　日本で理解されないのは、やっていないからだと思います。

東　残念ですね。

茂木　ドナルド・キーンが生前めちゃくちゃ怒っていましたね。日本の古典教育は文法ばっかりで「古典」を読んでいないと。あれは一つの犯罪行為だとすら言っていた。ぼくもそう思います。係り結びがどうしたこうしたとかばかりやっていて、源氏を、平家を、文学として、あるいは思想として議論するというような態度に欠けている。

東　ヨーロッパでも似たような問題があって、一八世紀のルソーも子供にラテン語を暗唱させるような教育になんの意味があるんだと怒っている。ただその問題に対してヨーロッパは変えてきたけど、日本は変わらないまま来てしまったのかもしれない。

人文学は解剖学である

東　解剖的な方法論が大事だというのは深い話だと思います。対象は常に死んでいる。養老さんは意図されなかったと思いますが、それは人文知とは何かということの本質に関わっている。人文学も解剖学みたいなものなんです。

茂木　古典は死んでいるからね。たしかに、人文学と解剖学は似ている。動かない対象を相手にあれこれと生身の人間が格闘するわけだから。

東　対象が新しいから良いということではないんですよね。

養老　そうですね。

茂木　ライプニッツ[12]の「全ての可能世界のなかでこの世界が最善世界である」という話とかも、現代的な文脈で面白い。あれもライプニッツの書いた文字列という「対象」は死んでいるけれど、今の幸福学や人工知能の問題にすごく深く関わっている。人間は、つい、世界の不完全性を問題にしがちだけれども、それはどこかでまわりまわって良いところと結びついているかもしれない。例えば、ガン細胞は困った存在だけれども、時にはガン化するような細胞生理の働きがなかったら、そもそも普段の生命が維持できない。地震が起こるのは災害だけれども、地震を起こすようなプレートテクトニクスの動きがなかったら、地球の安定性の何かが失われるかもしれないし、温泉もない。幸福学や人工知能は特定の評価関数を最適化しようとするけれども、このような思わぬかたちで巡る因果の問題を考えると、表層をなぞっているだけに終わるかもしれない。その意味では、ライプニッツのほうがはるかに深いし、広い。

東　いまの人文知の問題は、たとえば茂木さんがライプニッツが面白いと言ったとして、それに応答してくれるライプニッツ学者がほとんどいないということなんです

12　ライプニッツ：一七世紀ドイツの哲学者、数学者、科学者。微積分学や二進法の発明者でもある。汎神論的哲学を提唱し、神が創造した最善の世界における悪の存在についても議論した。

よ。知識がないからではなく、むしろあまりにも多くを知っている結果、「茂木さんはどのライプニッツが面白いんですか」みたいな話になってしまう。

茂木　どのライプニッツ（笑）。そのややこしい感じ、ものすごくわかります。

東　その解釈は誰々が出しているが、最近の研究ではライプニッツのその記述はそういう意味ではないと言われていて……みたいな話になってしまう。せっかくの古典なのにもったいない。かといって、あまり大雑把なことを言うと同業から刺されますしね。専門家はたいへんです。

茂木　でも、一見大雑把に見える話にしか本質はないから。その意味では、ダーウィンだって、アインシュタインだって大雑把。ラッセルなんて、ものすごく大雑把。東さんがおっしゃったような、異様に細かく重箱の隅にこだわって広い視野を持たないというのは、確かに、経験上も日本の人文学に固有の問題のような気がします。

東　最近は哲学者が物理学者と話す、みたいなこともなくなってしまいましたね。

茂木　そういうのはやらなきゃだめですよ。最近も『時間は存在しない』（カルロ・ロヴェッリ著）という本があって、現代物理の理論家が書いている本なんだけど、全く画期的だ期的な本でもなんでもなく、普通の解説書です。それを日本のメディアは、画期的だとか言って褒める。それについて養老先生が言ったのは、「時間がないとか言われたらお終いだよね」。さすがとしか言えない。時間の謎のようなことを、物理学者だけに任せていると、取るに足らない見解がのさばってしまう。それを商売にしてしまう日本のメディアも問題ですが。

あのホーキングでさえ、一時は「時間は虚数だ」とかどうでもいい話をしてたわけで、物理学だったら物理学という一つの文脈の中にいるとどうしても、どうでもいい話を意味があるように話してしまいがちです。それを外から、「このおっさん時間は存在しないとか言っているけど、実際には時間あるじゃん」とか一言で終わらせられるのは、じつは大事なことじゃないかと。これは粗い例えだけど、岡目八目というか、そういうのが重要なのではないですか。

東　「ある」って便利な言葉で、逆にいろんなものが「ない」と言えてしまうんです。最近も「世界は存在しない」が重要な問題提起とされていましたが、たいした話ではありません。

茂木　マルクス・ガブリエルの『なぜ世界は存在しないのか』ですね。天才哲学者と言われて話題になりました。

東　あれは要は、世界が存在するのは椅子が存在するのと違う意味だよね、だからふつうの意味では存在しないよねと言っているだけです。そりゃ当たり前ですよ。世界は存在者の集合なんだから。

茂木　そうか、本質は三行くらいで終わるんだ。

東　「湾岸戦争は存在しない」とかもありましたよね。ヨーロッパ人は「存在しない」が好きなんじゃないでしょうか。

茂木　そのような断言よりも、岡目八目のほうがいい。そういう意味では養老さんは最強の……。

養老　おかめ（笑）。

茂木　おかめじゃないです（笑）。

養老　要するに、物理の方程式をいろいろいじってたらt（時間）が消えちゃったって話だと思っています。ややこしいことやってるとどっかでtが消えちゃうんだ。

吉本興業の行為遂行的な笑い

茂木　二〇二三年のアカデミー短編ドキュメンタリー映画賞候補になった「Haulout」

という作品があって、ロシア領の島に温暖化でセイウチが大量に迫ってくる様子を、ほとんど余計なナレーションも入れずに見せているすごい映画です。こういう作品は日本からは出てこないですよね。

旗幟をはっきりさせておきたいのであえて言いますが、俺は今の「吉本的なお笑い」が大嫌いです。なんばグランド花月でやっているのは好きだけど、テレビで見る吉本のお笑いには、人間関係の過剰さや忖度しかない。ああいうのはどう思いますか。僕は、日本のお笑いは、バカの壁の象徴だと思います。批評性がない。

東 僕は全体的にお笑いに興味がないんです。ただ、日本では言葉が行為遂行的に取られがちなんで、なんにしても発話者がだれかが重視されがちですね。そういう傾向の表れかなと思いますけど。

茂木 松本人志がやるから面白い、ということですね。全く面白くないけど。日本のお笑いは、芸人どうしの関係性だけで、世界の切実な問題には接続しないし、そもそも「スケールしない」んですよね。

東 ただこれは人間世界の本質でもあって、自分の娘が出ている学芸会のお遊戯は面白いわけです。同じことを別の人がやっても全く面白くない。そういう感情を否定しても意味がないし、そもそも歌が上手い人の歌に感動することと、娘の拙い歌に感動することの間に、厳密に線を引くことができるとは思えない。

茂木　ジャニーズならどんな演技でも感動する、と。実際には学芸会のようなものだとしても。

東　はい。そしてその素晴らしいと思っている心に優劣はつけられません。だからこの点については、単に、日本では学芸会モデルがコンテンツ業界における成功モデルに組み込まれたというだけでいいんじゃないかな。

茂木　ジャニーズとか吉本とかね。本当に学芸会です。忖度ばかりで本気で作品を作っているとは思えない。僕はそういうのに長年うんざりしてきました。それで、海外のコメディがいいというと、相変わらず「モンティ・パイソン」ばかり持ち出される。古典ですが、それからいくらでも進化しているのに、何も知らない。好奇心のなさにもうんざりです。ジャニーズだって、一人ひとりのポテンシャルは高いのかもしれないのに、「アイドル」の像に安易に寄せている。ビリー・アイリッシュやブルーノ・マーズのような、くっきりとした個性がない。養老先生のおっしゃる「日本人は本気で生きていない」というのは昔からそうなのですか。

養老　たぶんね。漱石なんてそれで苦労したんですから。『吾輩は猫である』も笑いですが、読みようによっては、前述のように強い苦みがある。あれをただの「笑い」として読む人はいないと思いますが。

第六章　天皇

小学生にとっての天皇制

養老　戦争が終わるまで、小学校には「奉安殿《ほうあんでん》」という、御真影と教育勅語が納められている小さな小屋のようなものがありました。前を通るときは最敬礼をしなきゃいけない。久米正雄の小説に、奉安殿が火事になって御真影が焼けてしまったから腹を切る校長先生が出てきますが、それのことです。

　教室に入ると、黒板の上に御製《ぎょせい》があって、天皇陛下と皇后陛下の歌が並んでいた。それを読んで、皇居に向かって最敬礼。そうやって一日が始まりました。それを毎日やっていました。

「天皇制」とは、天皇個人の問題ではなく、こういうシステム全体のことです。子供の生活もかなりその影響を受けました。

東　小学校に入ってから終戦まで二年のあいだに、そういう儀式が増えたりはしたのですか？

養老　決まりきったものなので、増えることも減ることもなかったです。

茂木　神武天皇即位紀元二六〇〇年は、養老先生が三歳の頃ですが、記憶はありますか。

養老　記念の歌しか覚えてないですね。でも神武天皇から始まる歴代天皇の名前は小学校のときに覚えたので、今でも二〇代くらいまでは言えますよ。

東　子供心には、神武天皇は実在の天皇だと捉えていたのですか？

養老　神話はたくさん読みましたから、『古事記』やギリシア神話と同じような捉え方でしたね。「お話」というように考えていたと思います。

東　戦争が終わり、いままで語られていた神話は虚構に過ぎず、天皇もただの人間でしかなくて……というのはどういう感じだったのでしょうか。

養老　小学二年生で、前の考え方もしっかり入っていないから、天皇についてはあまり抵抗なかったですね。単にお話が変わった、こっちの本とあっちの本、という感じ。

東　まわりの大人はどんな様子でしたか。

養老　天皇のことはあまり日常に関わらない話なので、大人たちも子供と関わるような場面では気にしていなかったのではないかな。考える問題によるのでしょうね。僕の家は横丁にあって、通りを出ると若宮大路で、その突き当たりに鶴岡八幡宮がありました。隣に住んでいたおじさんは、しょっちゅう八幡宮の鳥居の前で最敬礼して柏手を打って戦勝祈念していましたが、戦後はけろっとしていましたよ。

触らぬ神に祟りなし

養老　天皇制に関しては、僕の中ではいまでも「触らぬ神に祟りなし」です。触れないほうがいいもの、というか。だから触れない。やっぱり神様なんだね（笑）。

茂木　直接お会いになってはいませんか？

養老　会ってないです。逃げました。それは、自分が関わることではない、と決めているんです。役人から跡継ぎ問題について聞かれたときも、「人のうちのことに口を出すのは品がいいと思いません」と答えました。

東　とても良い話だと思います。

茂木　いまは男系天皇と女系天皇についての問題が議論されていますが、それも「触らぬ神に祟りなし」ですか。

養老　そうですね。なんでそんなこと議論するのだろうと思います。

茂木　そもそも「天皇制」についての議論は日本にとって必要なものだと思います

か。

養老　それは「日本」がなにかという意味によるでしょうね。例えば日本の国会議員は、アメリカには敵わないのだから言うことを聞いておくのが現実的だと言います。それなら日本はアメリカの五一番目の州になればいい、と乱暴に言ったことがありますが、もしそうなったら、天皇をどうするかという問題が必ず出ます。まあ州知事くらいでいいんじゃねえのって思いますけど(笑)、そうやって具体的な問題が起きたときに、それぞれが具体的に考えればいいことです。

なんだか「天皇制の問題」というのは、人の問題を背負い込んで「俺のだ俺のだ」と言っているような気がするんです。それぞれの日本人が、本当に天皇の問題を自分のこととして身近に感じているのか。極端な話、天皇がいなくてあなたは困るのか、ということです。いまは天皇の政治利用を禁じて、天皇は政治的に有効であってはいけないということになりましたが、ああいう制度を非政治的だとするのはめちゃくちゃで、無理があります。三島由紀夫が「週刊誌天皇制」と言って批判したように、皇室の話題は身近なようで、「天皇制」そのものとは関係ない。そこはタブーのまま、いまも触れてはいけないことになっている。象徴天皇というのは、まさに「触らぬ神に祟りなし」です。

象徴天皇とはなにか

東　新憲法が天皇の地位を「日本国民統合の象徴である」と定め、神から人になった天皇は、今度は象徴になりました。

養老　国民にとっても「象徴天皇」がどういうものかよくわかりませんが、天皇の側も相当大変だったと思います。二〇一六年、現在の上皇が退位を希望されたときの言葉は次のようなものでした。

「即位以来、私は国事行為を行うと共に、日本国憲法下で象徴と位置づけられた天皇の望ましい在り方を、日々模索しつつ過ごして来ました」（象徴としてのお務めについての天皇陛下のおことば）

本当にそうだろうなと思います。非常に同情しました。誰も「象徴天皇」が何か知らないわけですから。大変でしたね、と。

茂木　上皇は養老さんの四歳上ですね。先ほど話した、体験の「地層」という意味での世代論で言えば、ほぼ同じ風景をご覧になってきたわけです。

養老　歳も近かったので、子供の頃から大変だろうなと思っていました。なんせお父さんが神様だったんだから。だからそうっとしておいてあげましょうよ、と思います。

茂木　昭和天皇、上皇、今上天皇への思いは違いますか。

養老　それは違いますね。偉さが違うというか（笑）。昭和天皇は神様だったから一番偉い。上皇は知り合いの知り合いくらいの人がいて僕に近いから、もっと人間くさくなってくる。今上天皇についてはお孫さん、という感じです。

天皇はなぜ生物学を学ぶのか

東　昭和天皇はヒドロゾア（ヒドロ虫類）、上皇はハゼを研究し、専門的な業績を残しています。養老さんは、なぜ天皇は生物学を学ぶのだと思いますか。

養老　ロンドンの自然史博物館のキュレーターが、昭和天皇の『相模湾産後鰓類《こうさいるい》図譜』という本を見つけて、日本の王室はこんなことをしているのかと驚いていました。イギリスにはロイヤル・ソサイエティ（王立学会）という王族や貴族も名を連ねる民間の科学団体があって、正式名称は「自然についての知識を改善するためのロンドン王立協会」(The Royal Society of London for Improving Natural Knowledge)。実験科学ではなく、生物学などのより博物学的な科学をやっています。自然と触れることは、そういう人たちが気を抜くのにいちばんいい方法だからでしょうね。昭和天皇はイギリスに留学していたので、その雰囲気を知っていたのだと思います。

茂木　養老先生が解剖学を選んだ理由の一つとして、戦後に教科書を墨塗りした体験を挙げて、「死体は裏切らないから」とおっしゃっています。死体は死体のまま、解釈ひとつで態度が変わったりしない。天皇が生物学を勉強したのにも、それと共通するところがあるのではないでしょうか。

養老　大いにあると思います。正気を保つためにやっていたんでしょう。

茂木　正気を保つために蟲を見ていた。

養老　神様にまでされてしまって、いい加減にしてくれという気持ちがあったとしたら、ヒドロ虫でも見ているのがいちばんですから。昭和天皇はよく正気でいられたと思いませんか？　そんなに普通の判断が狂っていたわけではないと思いますよ。

茂木　退位なさるべきだったと言う人もいますが、養老先生からすると、淡々と昭和を生きったことは評価されることだと。

養老　そうです。そして、生物学はずいぶんその助けになったのではないでしょうか。

昭和天皇と戦争責任

東　最近の研究者のなかには、昭和天皇は戦争に対してわりと意見を述べていて、「平和を望んでいたのに戦争に巻き込まれた」という戦後のイメージと実態は違っていたのではないかと言う人もいます。

養老　それはないと思います。あの雰囲気の中で、ただ「やめましょう」とはとても言えないですよ。そんな簡単なもんじゃなかったと思います。判断は都度しなければならないし、下手をすれば宮中某重大事件を繰り返してしまうこともわかっていたでしょうから。

茂木　神輿《みこし》に担がれていて、とても降りられる状況ではなかったと。

養老　もちろんそうですよ。僕ら小学生まで、訳もわからないまま皇居に向かって最敬礼ですから。そういう神輿の担ぎ方は、明治の元勲が天皇を利用したことに端を発するのでしょうが、それが当時の日本の政治のあり方だったのだから、しょうがないと言えばしょうがないですね。

茂木　解剖学と同様、時代ごとに細かく見ていかないと捉えきれないニュアンスがあって、それを捉えないと、なぜこの決断をしたのかとか、なぜ社会が動いたのかがわからないのでしょうね。社会は複雑系で、本当は簡単な因果では説明できない。

養老　東さんの言うように、後付けで全員が一致するような物語がないんですよね、日本には。

茂木　アメリカみたいにイデオロギーの国ではないから、「自由と民主主義の実現のために」とはならないですし。

東　アメリカがシンプルなのは「起源」がはっきりしていることもあるかもしれません。もちろん、アメリカ大陸にはネイティブアメリカンがいた。けれどもいまの国家がどこから出発したか、その起源ははっきりしている。あれだけ起源のはっきりした実験国家はほかにありません。だから後にいかに複雑なものがあったとしても、起源の理念に巻き戻せてしまうのだと思います。

　例えばいまではアメリカはすっかり政治的に正しくなっていますが、そもそもあの国は近代において最も大々的に奴隷制を展開していた国でもあって、人種差別こそアメリカの歴史だったはずなんですよ。けれども、そのねじれすら、建国の理念を持ち出すことで解消してしまう。そして「アメリカはずっとこういう国だったんだ」みたいな物語を作る。そういう力がアメリカにはありますよね。

養老　日本はフィクションが作りにくい国ですね。たしかに戦前は天皇制というフィクションが機能していました。でもそれは国内だけの話で、よその国まで持っていっても通用しないですから。前に沖縄でタクシーに乗ったとき、運転手さんに「沖縄と本土のどこが一番違うと思いますか」と聞いたら、「天皇に対する感覚じゃないでしょうか」と言っていました。沖縄との距離感でもそうなのだから、中国や朝鮮とズレるのは当たり前で、ラオスなんか行ったら「ナニソレ」ですよね。

日本は大国に向いていない

茂木　昭和天皇の戦争責任を問うべきという意見もあります。私は同意しませんが、戦後、リベラルの一部には見られた意見だということを、私自身もさまざまな機会に認識してきました。

養老　そういう気持ちにはならないですね。だって昭和天皇の開戦の詔勅が、「洵《まこと》ニ已《や》ムヲ得《え》サルモノアリ豈朕《あにちん》カ志《こころざし》ナラムヤ」です。「開戦はまことにやむを得ないんですよ、私の本意じゃないんですよ」と言っているんですから。じゃあ誰が許したんだよと思うけど、本人がそう言うならしょうがない。

茂木　西洋の自伝では「私はこういう意志をもち、こういうことを成した」というスタイルで書かれることが多いですが、日本では開戦の言葉すら「やむを得なかった」と、消極的であることは面白いなと思います。これは、繰り返しになりますが、現代の科学における「自由意志」は基本的に存在しないという認識とは実は整合的ですが、社会的、文化的にはポピュラーであるとも、正統であるとも言えない。

養老先生はご自身の生きてきた軌跡に対しても、自分がやってきたというより、こうなっちゃった、と思われていますか。

養老　行きがかり、なりゆきです。もちろん自分が決めなくてはならないときはあります。例えば大学を辞めるときには辞表を書かないといけないので、それは自分がやったことですが、そこに至るまでのプロセスは複雑で、簡単に言えることではない。

茂木　東さんは自分で道を切り拓いたと思っていますか？

東　まさか（笑）。

茂木　このような感覚は日本人に共通しているようにも思います。おそらく主体概念が違うのでしょうね。こういう日本的な主体概念の国って他にあるんだろうか。何度か申し上げているように、現代の科学における自由意志は後付けの整理に過ぎないという主体概念とは実は整合するわけですが(笑)。

東　近代化に成功した国ではめずらしいかもしれません。専門家に尋ねてみたわけではありませんが、僕はそういう「なりゆき」の世界観や主体観は辺境の国に多い思考パターンではないかと思うんです。日本にはいまだに歴史の古層というか、縄文時代からの思考が残っていて、それはおそらく日本固有のものというより、環太平洋地域に広く分布している、インディアンからエスキモー、ツングースからパプアニューギニアあたりの文化圏の一部でもある。それはたいへん原始的で、たいていは小さな部族のものでしかないのに、日本はたまたまそういう古い思考パターンを保ったまま大きくなってしまった。本当は少数民族に向いているメンタリティなのだと思います。「万世一系」を崇めるというのも少数民族の考え方ですよね。

茂木　そんな国が帝国になろうとしたら、そりゃ失敗すると。「大日本帝国」とか「大東亜共栄圏」とか「八紘一宇」とか、日本には向いていなかったんだ。主体概念が、帝国的ではない。

養老　身の丈に合っていないんですよ。「経済大国」とか、経済なんて変なモノサシで見るから錯覚が起こっているだけで。

東　日本は大国に向いていない。やはり一九世紀に清帝国が崩壊したのが大きかったのでしょうね。本当なら「清 vs. ヨーロッパ」になっていたはずですから。

養老　その通りですね。

東　あのとき清がグズグズになってしまったので、辺境の国・日本も頑張らざるをえなくなってしまって明治維新が起きた。そして中国まで手に入れようとしたわけですが、どうもおかしい。明治以降の東西文明論では日本とヨーロッパを対比し、日本こそが東洋的なものを代表すると考えられがちなわけですが、かなり無理がある。日本がヨーロッパと異質な文明をもつのは間違いないけれども、東洋やアジアを代表するのは中国のほうでしょう。

養老　インドもありますからね。

東　まさにそうです。東洋を日本で代表させているのはまちがいだし、逆にいえば日本の哲学はもっと大きなアジア的な物差しのなかで読まれるべきだと思います。僕が親しくしているユク・ホイという哲学者がいます。彼は中国語もドイツ語もフランス語も読める。このあいだYouTubeで、そんなユク・ホイとシンガポールのアーティストが戦前の日本の京都学派の哲学について英語で議論しているのを見ました。司会も日本人ではなく韓国人でした。これからそういう時代になっていくでしょうね。

軍歌とアニソン

養老　天皇の話に戻れば、戦争も天皇陛下のせい、とは思わないわけです。ただ僕より少し上の人には「天皇嫌い」がけっこういて、井上ひさしなんかは、なんで怒るのっていうような話でも怒っていました。

東　天皇の話をするだけで怒るんですか。

養老　そうです。感情的に嫌いなんだなということがよくわかりました。堀田善衛も天皇嫌いだった。

茂木　石原慎太郎が絶対に「君が代」を歌わないというのは何だったんでしょう。

東　声を出さずに口パクだったと聞いたことがあります。

養老　知らないいんじゃないの（笑）。

茂木　養老先生は軍歌は歌っていたんですか。

養老　兄貴が予科練崩れだったので、家でしょっちゅう歌っていて、いろいろ覚えました。

東　軍歌は子供の頃の思い出という感じですか。

養老　新宿に「潜水艦」という飲み屋があって、ときどき軍歌を歌いに行っていました。そこは夜中の一二時までは軍歌を流していて、一二時過ぎると懐メロになる。大晦日には店主が客を引き連れて靖国神社に参拝に行くような変な店だった。

茂木　へえ。おいくつくらいの頃ですか。

養老　三〇歳前後でしょうか。

東　ということは、若気の至りではなく、確信犯的にお好きだったのですね。どんな歌を歌われたんですか。

養老　「嗚呼神風特別攻撃隊」とかね。兄貴に教わって歌っていると、おふくろが「なんで今頃そんな歌を歌うんだ」って怒っていたのを思い出します。おふくろは若い人が特攻で出ていくのを知っていましたからね。

茂木　学徒出陣はニュースとして記憶にありますか。

養老　ないです。

茂木　そうか、養老先生は軍歌を歌っていらしたのか。たしかに軍歌って名曲が多いですよね。あの頃の作曲家は、現代の日本人と身体性が違うように思う。戦後のイデオロギーで否定して片付ければいいものではないように思います。

養老　軍歌はどこに行っちゃったんだろうなと思っていましたが、TVアニメに受け継がれているんだと気付きました。

東　アニソンですね。アップテンポで歌謡曲的で、たしかに軍歌の継承者なのかもしれない。

茂木　なるほど。たしかに軍歌的な盛り上がりがある。軍歌って不思議なことに左の人もけっこう好きですよね。何かパトスをかきたてるところがある。

養老　メーデーの歌なんて、ほとんど「歩兵の本領」とメロディが同じですからね。

茂木　その軍歌バーは左の人も来ていたんですか。

養老　来てない。右ばっかり。

東　養老さんは右翼青年だったんですか。

養老　右翼ではないですね。でも僕らの世代は戦争の教育を受けて、戦争に行けなかった世代ですから、その影響はあるかもしれません。

東　憧れがあった。

養老　そうですね。実際に行った連中は懲り懲りしているでしょうが。

恒産なきところに恒心なし

茂木　戦後、皇室の私有財産がまったくなくなりました。これは日本国憲法第八八条で「すべて皇室財産は、国に属する。すべて皇室の費用は、予算に計上して国会の議決を経なければならない」と定められたことによります。眞子さまが結婚されたときも、皇室費を貯めて結婚資金にしたと言われました。戦後の皇室はイギリスの王室を模範にしているようなところがあると思うのですが、そこが大きく違うところで、イギリスの王室はものすごい財産を持っています。

東　大地主ですからね。

茂木　そこが日本の皇室を不思議な存在にしている理由の一つでもあるように思います。

養老　彼らは独立の人格も持たないでしょう。「恒産なきところに恒心なし」で、フラフラになってしまった。

東　安定した財がなければ、安定した心もないと。

茂木　われわれは三人とも東京大学の卒業生ですが、東京大学に恒心がないのはなぜかといえば、恒産がないからです。ケンブリッジ大学の近くのグランチェスター村へ向かう道沿いに巨大な牧草地があります。僕がケンブリッジ大学に留学していたとき、そこに三〇分くらいかけて歩いて行って、みんなでお茶を飲むのが日曜日のピクニックでした。そこは全部、ケンブリッジ大学のキングス・カレッジの持ち物なんです。財産がないのに学問の自由なんて確保できるはずがないと身に沁みました。日本の学者は、口では学問の独立とか言っていながら、お金のほうは国が出して当然、みたいなメンタリティが強いから、どうも迫力や一貫性に欠ける。

東　いま国際卓越研究大学制度が話題ですね。日本の大学はお金がないのに国際的なランキングだけは上げなくてはいけないから、文科省のお金をいかに獲得するかということになる。

茂木　ぶら下げられたニンジンを追わざるを得なくなる。東京大学教授をずっとされていた養老先生としてはいかがですか。

養老　戦後に皇室の私有財産を潰したことで言えば、都内の大きなホテルや大学は、元は皇室の土地だったところがたくさんあります。そういう話を聞いた中国人の留学生が、「先生、日本は共産主義ですね」って言っていました。日本は意図せずして共産主義的なんです。

茂木　どうしてそうなったと思われますか。これは、現代日本の歪みを考える上では案外重要な論点なのではないかと思うのですが。

養老　日本人が日本に対してどう記述するか。その立場が見当たらないところが問題なんじゃないですか。中国人は共産主義であると納得して共産主義なんですが、日本は自分たちを何だと説明するのか。その言葉が見当たらない。

茂木　例えばサントリーホールは、本来なら設立者の名前をとって佐治敬三ホールでもよかったわけです。個人より組織や団体を立てるような考え方が日本にはあるんでしょうか。京セラ会長だった稲盛和夫さんの財団が運営しているのも「京都賞」であって、「ノーベル賞」のように「稲盛賞」とはならない。私は、どちらかと言えば「佐治敬三ホール」や、「稲盛賞」のほうがすっきりします。その意味では、軽井沢にある「大賀ホール」（軽井沢大賀ホール）は良い。

東　戦後の問題でしょうね。戦前は華族制度があったわけですし。

養老　東大だって「安田講堂」ですからね。

東　平等主義で変わったのでしょうね。

みんなの国の民主主義

養老　イギリスでは動物虐待防止協会がロイヤル＝王立です（The Royal Society for the Prevention of Cruelty to Animals）。イギリスのＴＶドラマで「動物虐待防止はロイヤルの問題だけど、児童虐待はナショナルの問題だ」っていう皮肉がありました。

茂木　イギリスっぽい（笑）。そういう批評性がコメディなんだよなあ。

東　皮肉が効いてます。

茂木　前にも触れましたが、僕は日本のテレビを席巻しているように見える吉本興業の笑いのモノカルチャーにどうしても耐えられないんです。いちばん違和感を覚えることの一つが、「庶民」という「みんな」の幻想を前提にしているところで、幻想の庶民が感じるであろう喜怒哀楽や人間関係の細かい綾を表すのが笑いであるみたいな感じがある。それは、一つの笑いのかたちではあるけれども、唯一でも最高でもない。世の中は、本来、もっと非対称です。いまのイギリスのコメディの皮肉な笑いはすごくわかるんですが、その感覚が日本にはない。それが退屈というか、笑いによって解放されるよりは、むしろ抑圧されている気分になります。

東　「一君万民」の「万民」の部分が「庶民」という謎の言葉になった。みんなで豊かになったり、みんなで貧しくなったり、みんな平等という幻想は確かにありますね。この幻想はインテリも共有していて、内田樹さんも上野千鶴子さんも、いまはみんなで貧しくなろうみたいなことを言っている。戦後日本は「みんな」が好きですね。

養老　「みんな」で面白かったのは、自民党の党歌「われら」です。高橋秀実さんの『道徳教室』で引用されていてはじめて知ったのですが、歌い出しが全部「われら」なんです。「われらの国に　われらは生きて　われらは創る　われらの自由」……こんな感じで、三番まである。

茂木　すごいな（笑）。全部「わたし」ではなく「われら」なんですね。本質は細部に宿る。

養老　道徳の授業で必ず教わるのも「みんなで考えましょう」ということです。どうやってみんなで考えるんだ、と思いますが。

東　日本がなんでも「みんな」であるのは、日本の民主主義の歪みと関係していると思います。平等主義的で、他人の視線を気にして、熱しやすく冷めやすい。誰かを一斉に叩いて、その人が消えたら嘘のように忘れる。もはや指摘しても意味がないくらいに繰り返された光景です。

泣く子と地頭に耐え忍ぶ

茂木　『バカの壁』は、養老先生が感じてきた「生きにくさ」について考えていたらあの本になったと聞きました。

養老　不思議なのは、それこそ「みんな」が生きにくいと思っていることですよね。だから自殺が多い。

茂木　なんで我慢しているんだろう。

養老　おじいさんが臨終のとき、「言い残したことはありませんか」と聞かれて、「忍」の一字をおばあさんの掌に書いたという笑い話がありました。

茂木　臨終まで「忍」って、ずいぶん長いなあ。今年の一字は三〇年連続で「忍」です！　みたいな。

東　（笑）

養老　なんでも「上」を想定すること、それが「忍」ですから。

茂木　「お上」ということですか。

養老　そう。泣く子と地頭には勝てないんです。

東　今のキャンセルカルチャーは、「泣く子が地頭に訴える」みたいになっている。泣く子と地頭がタッグを組んで一気に潰しにかかってくる。

茂木　「村八分」とか「出る杭は打たれる」とか。戦後八〇年近くも経って、何も変わってない。

東　ことわざってすごい（笑）。

茂木　日本には驚くべき保守性があるということですね。

養老　そうですね。

東　現実的には、そこを変えようとしても無理で、そういう社会の特性を活かしてどうやって生きやすい社会を作るかということしかないのでしょう。

茂木　その意味では、日本は西洋化には失敗したと言えますね。いい加減、大学ランキングとかを目指すのはやめたらいいのに。養老先生は受験についてはどう思いますか。

養老　過密だからしょうがないのではないですか。過密の中で上手にやっていることを日本の人はもう少し評価してもいいのかもしれない。

茂木　偏差値も過密をうまくやっていくための必要性から出たと。

東　人が言うことのニュアンスまで細かく察する能力も、過密に適応した結果なのだと思います。ただ、僕はそれは嫌なので、その価値を日本の価値として発信していく気にはならないですね。

茂木　でもこの三人はそれに適応しきれていないというか、真ん中にいないですよね。

養老　居心地悪い。

茂木　養老先生がずっと言われているのは、「茂木くん、どんなに変わり者でも、日本という国は、中枢に入ってこなければ許容されるんだ」ということです。東さんもそうですよね。

東　はい。

茂木　日本は中枢に入らないほうが幸せなんでしょうか。

養老　陛下に聞いたほうがいいよ。本当の中枢ですから。

茂木　陛下！　陛下は幸せなんだろうか。そのような本音をおっしゃらないからこそ、陛下なのでしょうが。

東　日本において天皇家が幸せそうだという感覚はないですね。そういう問題は問われてすらいない気がする。

茂木　陛下が幸せかどうかを誰も気にしていない？　本当は、天皇誕生日くらいには気にしたほうがいいと思うけど。

東　「天皇、最近幸せそうだね」みたいな話は聞いたことない。「大変そうだね」とは言うけど。

茂木　もっと幸せかどうかを気にしたほうがいいですね。「天皇」としては見るけれども、あまり「個人」として見ていないというか。もっとも、それは、すべての国民に当てはまることかもしれない。

養老　日本にはそもそも個人なんてないですから。人称代名詞だって、一人称と二人称がしょっちゅう入れ替わるんだから。相手に向かって「自分りんご嫌いだろ」と言えてしまう。

茂木 たしかにそうだ。そのへんも「みんな」になりやすいのと繋がっているかもしれないですね。

第七章　税金

目立たないこと

茂木　養老先生との雑談で心に残っていることがあります。日本は明治維新と敗戦で二度、これまでの自分たちのやり方を変えなくては生きていかれない経験をしていて、そのストレスや歪みがわれわれにはあるが、それをきちんと言語化することができたら、それは同様のことが起きている世界にとって有益な知見になる。だから、日本近代の歪みの問題は、日本の固有の問題であると同時に普遍性もあるテーマなのかもしれない、という話です。日本の歪みの本質を考え抜けば、それは、きっと世界のさまざまな方々が生きる上での糧になるかもしれない。

養老　そうですね。ただ、そのときにいちばん困るのが立ち位置です。そういうことを考えるときのベースが、文化を潰されるほうにあるのか、潰すほうにあるのか、どちらでもないのか。普遍的な土台を見つけられるのかということです。

茂木　日本の知識人は、外に先端事例があると考えて、それをいかに輸入してくるかという立ち位置か、もしくは外国からの影響は極力排除すべしという人かに分かれてしまって、ちょうどいい立ち位置にいる人が少ないような気がします。東さんも知識人としての立ち位置が難しかったのではないですか。

東　そうですね。僕は最近になって、この国で生きていくのには目立たないことしかないんだとわかってきました。

茂木　どういうこと？（笑）

東　言葉通りです。変わっていて目立っている人を潰すという圧力がとにかくすごい。特に四〇代くらいまでは風当たりが強い。五〇代に入ると少し楽になるかもしれない。茂木さんもあったんじゃないですか。

茂木　あったかもしれない！

養老　そういう日本の特性というのは、こんなに狭いところに人が大勢いることが原因だと思います。こんなに人口密度が高い世界ってないですよ。上海や北京を見るとやたら人がいるけど、中国なんて脱税で捕まりそうになったらどこかに逃げてしまえる。でも日本は狭いうえに逃げ場がない。高密度の人間社会ではルールがすごく強くなります。それは昔から思っていました。

茂木　過密過ぎるのはありますね。東さんは風当たりが強かったと。

東　大学を離れたり、テレビに出なくなったりしたことで楽になりました。

茂木　なるほど。養老先生も定年前に大学を辞められましたが、どういう理由だったのですか。

養老　やりたいことができないからです。当時は、国立大学のルールがものすごくきつくなったときでした。日本の法律っておもしろくて、現状が違法になるように作っている。現状よりも厳しいルールを作ることで、何か引っ掛けようと思えばいつでも引っ掛けられるような状況にすることで権力を維持している。

東　よくわかります。

養老　スピード違反がそうですよね。実際にはみんなスピード違反で走っているから、捕まえようと思えばいつでも捕まえられる。平均値より少しきついほうにルールを作っておくんです。

茂木　たしかにそうですね。でも管理するために現状を違法にしておくって、既に歪んでいる……。イノベーションが起こりにくい風土を、自ら作ってしまっている。

ルールの裏に救済がない

茂木　養老先生に、どうしたら生き残れるのかをぜひ教えてもらいましょう。

養老　さっき答えはひとつ出てますよね。

東　目立つな、と（笑）。

養老　先輩が同じことを言っていました。目立たないに限る、と。その人は安保のときに東大医学部の自治会の委員長をやっていて、ストライキを提案して退学処分になりました。当時の退学は面白くて、指導教官二人のところに毎月面談に行って、一年間おとなしくしていたら復学させてもらえるという暗黙のルールがあった。彼は毎月通って復学して、そのあと教授になりましたが、あるときふっと「目立たないのがいちばんいい」と言っていました。

茂木　そんなルールがあったんですね。

養老　表には出てないけどね。そういういい加減なルールが通じなくなったのが団塊の世代です。彼らは頭が固くて、処分に裏があるということに気付かない。大学が救済策を予《あらかじ》め考えて制度を作っているという読みがないんです。

茂木　そうか、ルールの裏が読めなくなったのか。その延長線上にいまの杓子定規な日本社会がありますね。

東　大学が大きくなって、コミュニティが壊れたということでもある。

養老　そうです。アメリカ人が入ってきて談合ができなくなったのと同じ。

東　制度の柔軟な運営は最も憎まれますもんね。最近、京都大学の霊長類研究所が解体されたでしょう。元所長の松沢哲郎さんが研究費を不正支出していたとして、京都大学から損害賠償を求めて訴えられています。松沢氏のほうも京都大学を訴え返していたりとドロ沼のようですが、それはさておき、大事なのは伝統ある霊長類研究所が解体されてしまったことで、それにはショックを受けました。

茂木　霊長類研は優れた研究がたくさんありましたよね。個体識別を行って研究したのも世界で初めてだったし。本当にもったいなかった。

東　日本のサル学は独自の視点を持っていて、大きな功績がありました。それがいまは名前も変わり、ホームページを見る限り、サル学的な要素が消えて「霊長類のゲノム研究」みたいなグローバルな学問が中心になっている。サル学は文理融合的で創始者の今西錦司のカリスマにも依存した特異な学問でしたが、その反面なかなか研究費の獲得が難しかったのかもしれません。詳しい事情は知りませんが、日本の学問状況を象徴しているようにも思います。

茂木　東さんは、霊長類研の先生が、どんな偉い先生でも持っている能力って知ってます？

東　サルの顔がわかることですか？

茂木　サルの真似がものすごいリアル（笑）。どんな先生でも、サルの鳴き真似がびっくりするほどうまいんですよ。突然、変貌して、チンパンジーやオランウータン、ゴリラになりきる。

養老　（笑）

茂木　しかも、やってくださいって言うと、大先生でもためらいなくその場ですぐやってくれて。いい文化を持っていたのにな。

東　それは面白いですね。でも、そういう文化はなくなった。

茂木　「恒産なければ恒心なし」ともつながるんでしょうか。本来は、霊長類研のような研究組織の成り立ちは、中長期的なヴィジョンを持って維持されなければならないはずですが。

養老　みんな金がなくて我慢しているから、どっかが研究費を使って派手にやってると潰されますよね。

茂木　目立ったからいけないのか！　世界の優秀だと言われる大学は、ハーバードもケンブリッジも、すごくお金を持っています。先に述べたケンブリッジのキングス・カレッジ所有の広大な土地もその一例ですね。僕はケンブリッジのトリニティ・カレッジというところに出入りしていたのですが、すごく庭がきれいなんです。あるときふと、庭師は何人いるのかと尋ねたら、三〇人いると言ってました。東大で、庭園作るんで庭師を……なんて言ったら大変ですよね。

東　すぐ炎上するでしょうね。

茂木　でも、トリニティ・カレッジは自分たちの金だから文句言われない。僕が養老先生と最初に会ったのは、「養老シンポジウム」という、養老先生が勝手にやっているシンポジウムの場でした。あれはご自身のお金でやってらしたんですよね。

養老　会場費とかは自分で出していましたね。

茂木　養老先生が好きな人を呼んで、好きなテーマで話し合うという場で、僕とか、郡司ペギオ幸夫[13]とか、池田清彦[14]さんとかが来ていて、名前も「養老シンポジウム」(笑)。あれも自費だから好き勝手できたんですよね。税金でやったら「なんでこいつを呼ぶんだ」って大変だったかもしれない。

養老　目立つときは自費でやれ、ということですね。

東　その通りだと思います。

全員が納得することは必要か

養老　二〇二二年から「メタバース推進協議会」という組織の理事をやっているのですが、メタバースのいいところは、いまのところはみんな持ち出しでやっているところです。もちろん会社のお金であっても、やりたいことを会社にやらせてもらっているという感覚なので、まだ健全です。これが儲かりだして金が入るようになったら、たぶんバラバラになるでしょうね。

茂木　ああ、なるほど。これって意外と大きな話なのではないかと思います。アートの島として直島がいいのは、福武總一郎[15]がワンマンでやっているからでしょう。誰の

13　郡司ペギオ幸夫（一九五九－　）：複雑系・天然知能研究者。早稲田大学基幹理工学部教授。伝説多数。
14　池田清彦（一九四七－　）：生物学者。山梨大学、早稲田大学名誉教授。
15　福武總一郎（一九四五－　）：公益財団法人福武財団名誉理事長、瀬戸内国際芸術祭総合プロデューサー、株式会社ベネッセホールディングス名誉顧問。香川県・直島を自然とアートで活性化するプロジェクト「ベネッセアートサイト直島」を三〇年にわたって指揮する。

どの作品を買うとかを、たぶん福武さんが一人で好き勝手にキュレーションしているからあれができたのであって、会議とかで決めていると、つまらないラインナップになる気がします。

東　このままいくと、公立の美術館は運営がどんどん難しくなっていくと思います。そもそも、なぜこの作品を選んだか、なぜこの展覧会をするのか、全てを市民に説明し、全員を納得させるなんてできるわけがない。市民から反対の出やすい政治的なメッセージのある作品は展示できなくなりつつあります。

茂木　まさに、あいちトリエンナーレで示されたのがそういう問題でした。

東　あいちトリエンナーレという名前はなくなってしまった。

茂木　国際芸術祭「あいち」という覚えにくい名前になりましたね。

東　組織も変わりました。リベラルはメディアでは優勢なように見えたけど、現実は違った。民主主義では県民に喧嘩を売っても負けるしかないんですよね。

養老　おっしゃる通りだと思います。

茂木　税金ではなく、私費だったら炎上しなかったと思いますか。

東　炎上しようがないですよね。

茂木　税金を使っているのに、という問題だったと。

東　むしろそこしか論点になっていませんでした。

茂木　それが不思議ですよね。実行委員会に入ったお金をどう使うかを決めるのは実行委員会のはずなのに。税金だけじゃなくて一般の方の寄付もあったはずですよね。

東　日本に寄付文化が根付かないのと同じ問題だと思います。売買によって得た金は自分のもので自由にしていいというコンセンサスがあるけど、無償でもらった金をどう使うかは延々説明しなければいけない。贈与に対する感覚が違いますよね。

茂木　大英博物館で大盛況だった春画展が、日本の公立美術館では開催先がないという問題もありましたね。結局、細見美術館のような私立美術館でやって大成功でしたけど。大学も美術展も、国家にお金を頼ろうとすると自主独立の精神を失っていく。

税金の使い道が面白くない理由

養老　以前、東大が学徒動員の調査をして、詳しいことがわかったので戦死者の碑を立てようとしました。でも、その碑を学内に置くことを教授会が拒否した。そこで赤門前の地主さんが一坪の土地を寄付してくれて、そこに碑を立てた。学徒動員で戦死した人たちの碑ですよ。そういう国なんだよね。

東　この国には、本当の意味で「公」のことをやろうとしたら「私」でやらねばならないというねじれがある。これは非常に不幸なことだと思います。

茂木　それはある。そして同意だけを求めていくと、どんどんつまらなくなる。尖ったものが、あとから文化的に広がって、追認され、スタンダードになっていくという文化のメタボリズムが欠けてしまう。

東　公共的であることと、全員が同意することはイコールではありません。日本の未来のための問題提起をしたり、未来を見据えたりすることは、必ずしもその時代に全員が同意することではないはずです。でも、日本ではそれをやろうとすると、私費を投じて世論から身を引き離さないといけない。

茂木　養老さんが東大医学部で、私費でいろんなものを買っていたという話が好きです。ぼくは、養老孟司という人を、そのようなディテールにおいて尊敬するし、愛します。

養老　本当はいけないんですけどね。なんの役に立つのか役人に説明できないものは、個人でやるしかない。

東　日本の出版文化が強いのも民間がやっているからです。かつて純文学に補助金が出るべきだと主張した人もいましたが、税金を投入した時点で、市民は誰でも文句を言う権利があるということになる。それは表現の自由を脅かしかねない。ＮＰＯも最近は標的になりつつある。

茂木　養老先生が特異点なのは、全部個人でやっているからなんだね。養老先生の箱根の「バカの壁ハウス」は壁に南伸坊さんが馬と鹿の絵を描いて、屋根を藤森照信さんが作って、という非常に素晴らしい空間なんですが、あれが税金だったら文句を言われている可能性があるということですよね。そう考えると、つまらないものしかできなくなって当然な気がしてきます。

東　「民主主義」の日本における解釈がそういう形になった、ということですね。市民は税金の使い道を細かく監視できて、なぜお金が出ているのかわからないものは潰す。結果、みんなが納得するものにしかお金が出せない。いかにも出る杭を打つ社会の民主主義解釈という感じです。

茂木　みんなが納得しないから芸術なのにね。今では日本人が大好きな印象派だって、出てきたときはボロクソに言われて、「印象派」っていう名前だって蔑称だったのに。そもそも当時のフランス国家の権威としてのサロン展から排除された画家たちが印象派だった。

奇人枠は生きやすい

茂木　改めて、東さんが言った「四〇代までが辛い」というのは本当にそうかもしれません。俺はそのあたりの苦しさはもう抜けた気がする。

東　そこを抜けると嫉妬も受けにくくなる。

茂木　養老先生は嫉妬を受けないですね。

養老　日本社会には「あいつはしょうがねえ」っていう枠がありますからね。

茂木　たしかにそれはある！　あずまん、もうちょっとだ！

養老　江戸時代にも「寛政の三奇人」というのがいますから。

茂木　寛政の三奇人？

養老　林子平、高山彦九郎、蒲生君平の三人です。林子平は海防の重要性を説いて『海国兵談』を書き、蒲生君平は天皇陵の荒廃を嘆いて『山陵志』を編纂した人。高山彦九郎は勤王を唱え、江戸時代後期に御所に向かって望拝して、お咎めなしだった人。御所に向かって伏し拝んでいる像が京都の三条大橋にあります。

茂木　日本には昔から「あいつはしょうがねえ」で受け流してくれる素地があるんですね。正統枠や、中枢枠とは別に。

東　なるほど、奇人枠に入ると楽に生きられる。

茂木　南方熊楠がキャラメルの箱に入れた標本を昭和天皇に献上したという話は有名ですが、あれも熊楠だから許されたんでしょうね。

東　はやくそのレベルに到達したい。

茂木　ユニークなお人柄で愛された大正天皇もそういうことなのでしょうか？

東　変わった人だったという逸話は残っていますが、それは奇人だから許されたんじゃなくて天皇だから許されたんだと思います。

茂木　そうか（笑）。

養老　大正天皇は歌が上手だったらしいですね。プロに言わせると明治天皇よりいいとか。

茂木　遠眼鏡事件とか、どのくらい本当なんだろう。帝国議会で大正天皇が勅書をくるくる丸めて遠眼鏡みたいにして、議会席を見渡したっていう。私は、そのあたりも含めて、とても魅力的に感じます。大正天皇と同時代の日本に生きてみたかったとさえ思います。

東　原武史さんによれば、自由に生きようと頑張っていた人だったそうです。平和主義者だったとも言われています。

第八章　未来の戦争

台湾有事の現実味

茂木　はじめに東さんが言っていたように、この頃は日本にいても、戦争が現実味を帯びてきたように思います。台湾の問題についてはどう考えますか。そのことに関連して、日本も軍事費を増やすべきだなどと、具体的な政策論にもつながってきていま す。

養老　いまのまま残しておいていいと思いますけどね。「一つの中国」と言っていますが、いまの中国はでかすぎるんですよね。かつて清だった範囲を中国だと主張しているわけですが、清の範囲にはチベット仏教圏もモンゴルも入っているから。それを中国だと言うことで、いろいろな問題が出てくる。

東　清帝国の版図を中華民国が引き継いだことで起きた問題ですよね。それは本当は自明ではなかった。孫文の辛亥革命は清王朝に対する漢民族の抵抗運動であった側面が大きいけれども、清王朝のエリアは漢民族の居住地と重ならないからです。

清帝国は典型的な多民族帝国です。実際、中国東北部に行くと、漢字と満州語の二つの言葉が書かれた清時代の門が残っている。清は漢民族の国ではなかったのに、帝国の崩壊後それを国民国家として引き継いでしまった。そしてそれをさらに共産主義国家が引き継いだ。

茂木　世界は複雑系だからなるようにしかならないという側面もありますよね。今考えていることも五年後、一〇年後には随分変わるでしょうし。

東　台湾有事に関しては、日本人の若い世代が自分の人生の中でリアルに戦争に行く可能性が出てきたわけで、それが大きな変化だと思います。ウクライナ戦争が起きたとき、中国に攻められたら銃を持って戦うという若い人はけっこういました。そういう言葉が出てきたとき、リベラルと呼ばれる多くの人たちはどう否定できるのか。たとえば文学部の学生が志願兵になると言ったとき、教官はその学生を止めることはできるのか。止めるべきなのか。現実にそういうことを考えなければならない時代になってきたと思います。

茂木　そういうときに、理系は行かないのでしょうか。

東　それはわかりませんが、理系の学生には志願兵以外にいろいろな協力の仕方があるでしょうね。

茂木　文系の学部の意味はそこにあったのか！

養老　台湾有事については、中国、というか北京政府がどう考えるかが重要ですよね。それが有利か不利かを彼らは十分計算しているはずだから。

東　米軍では二〇二五年までに起こるというメモが回っているらしいですが、そうなると大阪万博と重なることになりますね。東京五輪はコロナで、大阪万博は戦争でとなったら目もあてられない。

養老　関東大震災（一九二三年）のときには、前年の平和記念東京博覧会の会場跡地に避難民が集まりました。

東　地震までできたら、もう本当に『方丈記』の世界というか、大仏をつくって祈るしかない時代になりますね。

養老　そのくらいのことがあってようやく再生するんだろうと思います。良いほうにいくかどうかはわからないけど、それが日本の行く末だからしょうがないですよ。

茂木　身の丈にあった辺境の暮らしに戻るのですね。逆にそのくらいでないと、もう日本は変われないんでしょうか。

養老　東さんが言っていたように、権威主義的で、偉い人が言うと従っちゃうからら。下から盛り上がるには、いちどボコボコにならないと難しいんじゃないでしょうか。

東　過去の戦死者だけじゃなくて、未来の戦死者について考えることが現実的になっているというのは恐ろしいことです。

国のために戦うか？

茂木　学生が志願兵になる可能性についての話がでましたが、世界六四ヵ国で行われた「国のために戦うか？」というアンケートでは、日本は「戦う」と答えた比率が11％で最も低かったそうです（WIN Worldwide Survey, 2014）。世界価値観調査（World Values Survey, wave 7, 2017-2021）でも、日本は13％と、低い数字でした。これはある意味、健全だという見方もあるかもしれない。いずれもウクライナ戦争前に行われたものなので、いまは少し変わっているかもしれないですが。

東　そうですね。ただ、そんなものは一瞬でひっくり返るだろうとも思います。ウクライナ戦争が起こったとき、浅田彰さんが「自分が教師だったら戦争から逃げろと勧める」と言ってめちゃくちゃ叩かれました。ウクライナ戦争ですらそうなのだから、実際に日本が関わる戦争が起きたら、とても人前で「戦争に行くな」なんて言えないでしょう。コロナのときも、大学ロックダウンに反対した教師はほとんどいなかった。日本のリベラルは世論で叩かれることは言わない。本当にクリティカルなことが起きたとき、信念を貫ける知識人は果たして何人いるのか。

茂木　戦後知識人とは何だったんですかね。僕は東さんより年齢的には少し上なんですが、僕が小学生の頃は、大江健三郎さんとか「良心的な知識人」たちが論壇を作っていました。そういうのを、養老先生はどうご覧になっていましたか。あの頃は、あれが一つのスタンダードだった。

養老　俺と関係ない人たちっていう感じ。

東　関係ないことが多すぎます(笑)。

養老　解剖やって虫採ってたら、だいたい関係ないんですよ。いるものはしょうがない、っていうふうになる。

茂木　僕なんか、世間のことについてすぐに怒ってしまいますけど、養老先生は怒らないし、ものごととの距離のとり方が達観されていると思います。天皇は生物学を正気を保つためにやっていたとおっしゃいましたが、養老先生にとっても虫はそういう存在ですか。

養老　逆に、自分を投影して天皇を解釈しただけですから。

茂木　かっこいいなあ。ちなみに、最近話題の昆虫食についてはどうですか。

養老　感心しないですね。コオロギとか特定の虫を人工的に増やして、ということでしょう。

東　コオロギを食べるのはエネルギー効率が牛や豚より良いからだ、と聞きますよね。でも新しい施設を作ったり、伝統産業である畜産を断ち切ってまで始めるべきほどの差があるんですかね。

養老　それなら培養肉のほうが理解できます。

東　そうですよね。

日本・韓国・北朝鮮

養老　北朝鮮と韓国はどう見ますか。

東　韓／朝鮮民族にとっては統一が望ましいでしょう。けれど周辺諸国にとっては、統一すると大変なんじゃないでしょうか。

養老　現状維持が望ましいですよね。ただそれがある限りは、なかなか韓国との問題は片付かないんじゃないでしょうか。

東　慰安婦問題も、韓国の国内事情と密接に関わっています。

茂木　日本は原爆にしてもわりと水に流すけど、韓国はなかなか水に流してくれないですよね。

養老　そもそも文化が違うから国が分かれているのですから、多少仲が悪くても戦争にならなければいいのではないでしょうか。隣国との関係も、夫婦関係みたいに、揉め事があって当然、殴り合いにならなければ問題ない、くらいを常識にしておいたらいいような気がします。

茂木　なんとなく、日本はもう少し過去のことを覚えておいたほうがいいし、韓国はもう少し忘れてもいいのかなと思います。ちょっと両極端に振れている感じがしてしまいます。

東　これだけこじれてしまったら、解決には世紀単位の時間がかかるのかもしれません。

養老　時間のとり方ですよね。

東　僕は大前提として、問題を起こしたのは日本だと思います。日本からすればいろいろ言い訳はあるんだろうけど、とにもかくにも、明治から昭和前期にかけて日本はアジア諸国にひどいことをした。それは事実なのだから仕方ない。保守系のひとはいくら謝ってもあいつらは許してくれないとボヤくけれど、謝っても事態が改善しないというのはよくあることです。犯罪があって、犯人が謝罪して、賠償金も払った。でも被害者とその家族は怒っている。何度も蒸し返される。謝っても、謝っても解決しない。じゃあ一体どうすればいいんだと言うと、逆ギレするなとさらに怒られる……時間でしか解決しないですよね。

茂木　世界中どこでもある問題だ、と。

東　人間はそういうものだということです。

養老　オーストラリアで、ポーランド人とギリシア人が熱心に議論していて、周りの人間が「ポーランド人とギリシア人がいるといつもあの話をする」と教えてくれました。何の話だったか忘れましたが、両国とも歴史が古くて、関係も長いから、政治的に対立していなくても、多少のわだかまりはあるんでしょう。

東　民族の問題は数世紀単位の物語をもって展開しているので、現在の力関係や合理性だけでは動かない。

フラット化した世界の戦争

茂木　ロシアとウクライナも隣国同士の戦いですが、プーチンが一部で「歴史過剰」だと言われていて、その意見に僕は賛成です。「歴史に学ぶことが大切」と言っても、立場によって何が「正しい」歴史認識なのかは変わります。「正しい歴史」があるとか、精査すれば一つの正しい歴史観に収束するとか、そういう前提で過度に歴史に依拠することで今回の事態が招かれた。ウクライナ東部がロシアのものだとする根拠を歴史に求めるのは、過去の履歴を引き受けることである一方、歴史過剰でもあって、ウクライナ侵攻はまさにその弊害だと思います。

一〇〇年単位の時間がかかるという東さんの議論もすごくよくわかるのですが、同時にインターネットがつなぐフラットな世界から見ると、過剰な歴史は余計なことです。GAFAなどのプラットフォーマーにとって、歴史はあまり関係ない。地方に仕事に行くと、いまだに「この県の東と西は別の藩だったから仲が悪い」みたいな話をしてくるおじさんたちがいて、その手の歴史過剰についてはうんざりします。現代の文脈においてはどうでもいいわけですが、こだわっている人たちはいつまでも忘れない。同じ県の中で、藩が違っていた地域は今でも仲が悪いみたいな言い方は、ロシアとウクライナにおけるプーチンの歴史過剰と同じような認知的脆弱性であると感じます。現在の技術文明は、そういう歴史の過剰さを消すための「蛮勇」のようなものなのかもしれない、と思うことがあります。

東　僕もそう思います。しかし、そのプロセスもまた時間がかかる。地球から国民国家が消えるのには、もしかして一〇〇〇年くらいかかるんじゃないでしょうか。だから、その間のリアリズムとしては、各国固有の歴史は「消えないもの」と見るほかないのではないかということです。

茂木　若い人と話すと、本当に韓流が好きなんです。下の世代にいけばいくほど、フラットに韓国の文化が好きで、日韓問題には関心がない。「日韓関係の問題」って単にイデオロギーで、現実とは乖離していますよね。

東　それはそうです。しかしだからこそ、その「たかがイデオロギー」になぜこんなに人々がウロウロさせられるのかが問題なんじゃないでしょうか。ナショナリズムは実体のないイデオロギーでしかない。そんなのみんなわかっている。学問的にも指摘されている。でもぜんぜん消えない。そういう現実がある以上、ナショナリズムなんて意味ないという指摘自体が意味がないと思います。『フラット化する世界』という本を書いたトーマス・フリードマンは、別の本で「マクドナルドが進出した国同士は戦争することはない」と書いています。ところが今回の戦争では、マクドナルドのほうがロシアから撤退してしまった。マクドナルドがある国同士が戦争しないのではなく、戦争が起きるとマクドナルドが撤退するだけだった。なるほどなと思うわけです。「フラットなグローバリズム」にかかわらず戦争は起きる。それがどれだけ損でも、やるときにはやる。

茂木　ネットワークサイエンスから見れば、世界はもともとフラットに見えます。つまり、そのようなネットワークの任意の「切断」を絶対視すること、これこそが「バカの壁」です。ナショナリズムが重要だと言っている人たちと、ネットワークの上での分散された意味を考えている人たちの間にはバカの壁がある。この構造と、日本の歪みが共鳴する。

東　ただ、ナショナリズムの壁がない人も、別の面ではバカの壁があったりする。どちらが賢いというわけではなくて、いろんな人がいるというだけのことです。人間は経済合理性だけで動くこともあれば、動かないこともある。人間はそういう存在です。人間を安定的にコントロールするためには、経済合理性以外の手立ても必要です。

茂木　うん、その通りだと思います。僕が言っている「バカの壁」は、ナショナリストに対する啓蒙主義的な意味ではないんです。「バカの壁」の概念が面白いのは、それが本質的にエコロジカルだからです。多様性があって、それぞれのところで暗黙知レベルで見方が偏っているということ。本当は世界に多様な見方があって、それ全体が生態系を作っている。しかも時には相互依存的ですらある。一つの正解があって、それ以外は愚かということはない。啓蒙主義の脆弱なところは、一つの立場が正しくてそれを広げるべきだという単純なネットワーク把握の中にある。利益を最大化すべきという立場は、そのようなモノカルチャーにつながりやすい。だから経済合理性以外の手立てが必要だという意見には賛成です。

ウクライナ侵攻と盧溝橋事件

東　養老さんはロシアのウクライナ侵攻はどう見ていますか。

養老　ウクライナに侵入したロシアに対する世界の見方は、そっくり盧溝橋事件で中国本土に侵入した当時の日本への見方と同じだったのだろうなと思います。
あとは、ウクライナがドイツの戦車をもらって進撃すると、ロシア側はドイツ軍の進撃を思い出して嫌だろうな、ということですね。

東　第二次大戦の独ソ戦（東部戦線）もウクライナが舞台でした。同じ場所でドイツの戦車とロシアの戦車が戦うわけです。

養老　変なものが戻ってきたなという感じです。どうしてもロシアは西ヨーロッパとは一致しないんですかね。

東　ロシアは歴史的に、西ヨーロッパに対抗することで国家としてのアイデンティティを作ってきた部分があります。だから確かに異質なんです。ただ、僕たちアジア人から見ると似ているところに線を引いているようにも見えますね。

茂木　日本は公式には、完全に西側に立ってウクライナ戦争を見ています。在野の意見は少しは多様なようですが。でも日中戦争から太平洋戦争に至る道を振り返ると、いまのロシアの状況もシミュレーションできるだろうし、その立場だからこそ言えることもあるんじゃないかと思ってしまいます。日本は、西側とは少し違う立ち位置からこの問題にアプローチしたほうが、全体としてのより強靱な状況解決に貢献できるような気がします。日本が追随していると、多様性が増えない。

養老　立場をどこに置くか、という問題ですね。それが難しい。

ロシアとウクライナ

茂木　キマダラヒカゲという蝶がいるのですが、僕が子供の頃に突然、「ヤマキマダラヒカゲ」と「サトキマダラヒカゲ」に種が分裂しました。キチョウも「キタキチョウ」と「ミナミキチョウ」に分かれたのですが、正直、あまり種として分ける意味があるのかどうかわからない。蝶を研究して学生科学展に出したりしていた立場としては、種が変わるのは大地が揺らぐような思いです。オサムシもDNAを調べて種の分類が変わったというのがありましたよね。

養老　DNAを使ったら系統関係の整理がついたんです。しかし、系統関係を現物の分類にどう使うかというのはけっこう主観的で、それを池田清彦が「分類とは思想である」と言っています。

茂木　ロシアとウクライナも、どこまで別の国かはいろんな立場がありますよね。人間の認知は、案外いい加減で恣意的なところがあります。言語についても、ロシア語とウクライナ語は遠いと、半ば政治的な文脈で開戦後に盛んに言われています。東さんはチェルノブイリに何度も行かれていますが、ロシア語とウクライナ語はどんな感じで使われているのですか。

東　チェルノブイリは最初に行ったのが二〇一二年で、最後に行ったのが二〇一九年ですが、キーウ（キエフ）の街中ではそのあいだでも急速にウクライナ語化が進んでいたという印象があります。ただ、僕はロシア語もそれほどできないし、ウクライナ語はぜんぜんできないので、正確なところはよくわかりません。ただ逆に、僕ぐらいわからないと、二言語がかなり似て見えるのは確かです。

茂木　それが開戦後に、ウクライナ語はロシア語よりポーランド語に近いのだというキャンペーンが時に張られるようになった。政治的な意図は明確です。本来、言葉が近かろうがどうだろうが、プーチンの行為が許容されるわけではない。これも一つの歴史過剰であるように思います。

東　ウクライナ語は、現在はロシア語やベラルーシ語などとともに東スラブ語群ということになっています。言語学はつねに政治と結びついているので、分類が変わる可能性もあるんじゃないでしょうか。

養老　「分類学者が集まって酒を飲むと必ずケンカになる」と言われるくらい、「分類」は人間が典型的にケンカする話題のひとつです。キマダラヒカゲを種として分けるべきだとか、分けなくてもいいじゃないかとか。蝶の分類なんて具体的な利害関係のまったくないことですら言い争いになるのだから、抽象的な話題で人がぶつかるのはさもありなんと思います。

政治的正しさの弊害

東　養老さんがおっしゃるように、いまのロシアの立場はかつての日本と似ているのではないかとか、いろんな見方があると思います。一昔前はそういう「いろんな見方」が論壇誌や学会などで言われていたのですが、いまはみな政治的に正しくなってしまって、なかなか自由には発言できないですね。

茂木　それは面白いね。政治的に正しいことで、科学的な客観性から外れてきている。

東　人文学には、自然科学のような客観性はもともとない。政治的な多様性だけが強みだったのに、それすら急速に失われている。

茂木　ないのか（笑）。

東　これなら学者なんていらないんじゃないのと言われても仕方がないくらい、皆同じことを言うようになってますね。

茂木　そうすると、科学的・客観的な分析は、政治や社会においては無理だということになりますよね。

東　いや、それはそもそもタイムマシンでもない限り無理です。歴史は一回しかない。だからそもそも比較検証ができない。おまけに、僕たちが過去についてもっているのは、おそろしく限定的な記録と記憶という情報でしかない。「歴史の真実」といっても多くは推論に頼らざるをえない。むしろ客観性とは何かという話です。

養老　昨日から今日にかけて坂口安吾の『散る日本』という本を読んでいましたが、東さんと同じようなことを言ってますよ。

茂木　内田百閒の『阿房列車』を読んでいて驚いたのは、広島のことを書いているのに原爆のことに一切触れていないことでした。これは一九五〇‐五五年に書かれたエッセイなのに、原爆があったことに触れないというのはすごく不思議ですよね。内田百閒は、おそらく、触れたくない、触れずにいようというかたい決意があったように思います。原爆ドームの場所にも行っているのですが。
養老先生がヒロシマ・ナガサキは日中戦争から繋がっているとおっしゃったように、「歴史の真実」と言っても、後世の人がそこだけ切り取って「原爆ひどいじゃないか」と言うことと、当時実際に一連の動きを経験した人では見方が違うんじゃないかと思うんです。そのような歴史の重層的な見方をしていかないと、日本の歪みは正せないようにも思います。

養老　繋がっているというのは、古く言えば「一般市民に爆弾を落としたのは重慶が先だ」というやつです。つまり、先に重慶を空襲して無差別爆撃をしたのは日本軍だと。原爆や空襲の話をすると必ずそういう話になる。でも、どっちが先かという話には終わりがない。

茂木　そもそも僕みたいにすっとぼけた自然科学者からすると、戦闘員と非戦闘員を区別して、戦闘員は殺していいという議論もどうなんだと思いますけど。

養老　第一次大戦から総力戦になったからね。

東　それを言うなら「戦争犯罪」という言葉だってかなり謎で、そもそも戦争自体が犯罪だと思います。

養老　そうそう。

東　でも、そういうのもいまは言ってはいけないことになっている。戦争自体が犯罪だと言うと、ロシアの味方かと非難される。

茂木　そうなんですか。政治的な正しさって、かなり問題のある概念ですよね。

東　そうですね。でもそれも言っちゃいけない。人文系アカデミズムはどうなってしまうのでしょうか。まあ、どうにもならず滅びるのかもしれない。

養老　それもまたやむなし（笑）。

茂木　今日において、人文学は政治的正しさと切り離せないということですか。

東　いまはそうなってしまった。就職とか資金提供のシステムとかとも関係しているのだと思います。

茂木　生活に直結しているのか。アメリカの大学の人事で、そのような風潮があるということはときどき耳にしますが、日本でもそうだとすると、なんだか残念な気がします。

東　理工系の研究者は政治的正しさとは違うところで能力が測られていますから、ヘイト発言をするＩＴ系の人がいてもそれだけでキャンセルされるわけではない。いいか悪いかはともかく、いちおうそうなっている。でも人文系は間違いなくキャンセルされる。政治的な正しさから逃れられないわけです。

茂木　養老先生が政治性とは関係なくいられるのは、解剖学だからか。とても良い学問の選択をされましたね。

養老　僕の先生だった細川宏先生という大秀才は、医学の中でいちばん確実な学問はなにかと考えて、それが解剖学だという結論を得たから解剖学に進んだと言っていましたね。

政治的なウイルスと政治的な医療

茂木　今回のコロナでは、感染症予防学もおそろしく政治的な学問だということがわかりました。

養老　コロナウイルス自体が政治的だからね。発生源とされる武漢の研究所は、建てたのは中国政府ですが、技術指導はフランスです。危険なウイルスを扱うP４実験室（BSL-4実験室）を作ろうとすると、どこの国でも住民から反対運動が起こる。だから中国に作られた。でも中国でそんなことしたら漏れるに決まっている。

茂木　養老先生は武漢の研究所から漏れた説に蓋然性が高いと思われていると。
養老　そのあたりが本当のところじゃないかと思っています。武漢の研究所には、米国立アレルギー感染症研究所所長であるファウチが資金提供していたという報道もありましたし、一時、中国でコロナはアメリカ製のウイルスだと騒がれていたのも、あながち無根拠じゃないんだと思います。コウモリから感染《うつ》ったという説もありますが、そんなもんだったらとうの昔に流行っていたはずです。
茂木　医療そのものが政治経済的な意味合いがすごく大きいですよね。糖尿病とか高血圧とか、新しい病気を発明するたびにものすごく儲かると言います。
養老　その通りです。
東　僕はコロナウイルスについては違う意見です。
ただ、医学と政治が深い関係にあるのは確かです。たとえば成人ADHDは、二〇一〇年からの一〇年で二〇倍に増えたと言われます。でもこれって、裏を返せば、一〇年で市場が二〇倍になったということですよね。
イアン・ハッキングという人が『記憶を書きかえる』という面白い本を書いていて、一九八〇年代にアメリカで多重人格が流行したとき、人口の数%が多重人格で、みんな親から虐待を受けているという話になっていたらしいんです。でもそれはさすがにおかしくて、別のところに原因があるんじゃないかと。

精神疾患に関しては、アメリカではＤＳＭ（精神疾患の診断・統計マニュアル）の臨床分類があります。それによって保険の適用が認められたりするので、精神疾患として分類されることがとても大事です。分類され、名付けられ、障害と認められて、はじめて医療の対象になる。そのことで巨額のお金も動く。ある診断が急速に増えるというのは、そういう現実と切り離せない。ハッキングはそこらへんの力学を暗に指摘しています。特に子供たちをターゲットに「あなたの子供はこういう病気なので、特別な処置が必要です」と言われたら、多くの親は心配でお金を払ってしまいます。

養老　だから俺は医療は受けないんだ。

茂木　養老先生はずっと健康診断も受けなかったのですよね。以前、ＴＥＤに参加したとき、会場の前で精神医療が患者を薬漬けにしていると主張している方々のデモンストレーションがあったのがとても印象的でした。日本人は従順なので、あまりそういう声は可視化されませんが、アメリカでは、製薬会社の姿勢と相まって、かなり知的に高度な議論が行われているように思います。検診を前提にした公衆衛生的な議論も、政治性を避けられないのかもしれません。

養老　僕が現職の頃は、東大医学部の医者の検診率は四割でした。医者の常識というか、過半数があんなもの意味ないと思っていたということです。いまは査定なんかに関わるからそうはいかないでしょうけれど。

二〇世紀の教訓

茂木　東さんはサルトル的なアンガージュマン（知識人の政治参加）についてはどう思いますか。

東　僕は抽象的な政治参加にはあまり興味がないんです。社会が複雑系だという話と関係すると思うのですが、ある理念のもとに知識人が大衆を導いて、それで成功した例《ため》しはない。そもそもヘーゲルが「ミネルヴァの梟は夕暮れどきに飛び立つ」と言ったように、知というのは後から来るものです。哲学や社会学はあくまでも「後付けの分析」として使うべきであって、未来を作るために哲学や社会学を振りかざすのは危険なことであるというのが、二〇世紀の共産主義の失敗が残した最大の教訓なんじゃないでしょうか。

にもかかわらず、二一世紀に入って、エリートが知識によって社会を導くというタイプの思想が戻ってきつつあることは憂慮しています。シンギュラリティとかＡＩとかの話がそれです。ただそこで使われる知識は、社会学的・哲学的なものではなく、理学的・工学的なものに替わっています。

養老　そもそも知識人ってなんだ、っていう話ですね。

茂木　養老先生は成田悠輔さんの「老人は集団自決せよ」という発言に対して、「ほっとけ」とおっしゃっていましたね。

養老　少子高齢化をマイナスの意味でしか捉えていないのが時代遅れなように感じます。少子高齢化は一種の自然現象だから、素直に受け止めたらいいも悪いもないはずで、悪いと思うのは、経済中心にしか見ていないからです。そういうもんだ、と思わなきゃいけないのに、なんとかしようとするのがおかしいのではないか。その手の話は、どうも知恵が足りない気がします。

東　二〇世紀にはナチのユダヤ人虐殺だけでなく、スターリンによる粛清、中国の文化大革命、カンボジアのポル・ポトなど、大量虐殺が何度もありました。人類はこれまで実際に、特定の民族集団を消滅させようとしたり、富裕階級を階級ごと消滅させせようとしたりしてきた。だから、これからの未来で、ある年齢層をまるごと消滅させようとする「エイジズム・ジェノサイド」国家が現れても驚かない。人間はそういうことをやるやつらです。

だから、成田さんがどこまで真剣だったかは別として、問題は彼個人の善悪の話ではないんですよね。怖いのは、ああいう話が出てくると、もっともらしい理屈はいくらでも作れるということです。例えば健康を指標にして市民ひとりひとりが医療制度そのほかに与える負担を計算し、一定数値を超えている人たちに「高コスト市民」とかなんとか名前をつけ、その人たちの生存権を一定程度制限するほうが社会正義にあたるのだ、というロジックは簡単に作れる。もちろん老人だけではなく、あらゆる集団について、そのような主張が可能です。

茂木　ある集団の生存権を脅かすロジックを認めてしまえば、老人を殺せと言う人のほうがむしろ別の理由で殺される対象になることだって、十分にあり得るということですよね。

東　現実にそういうことを人類はやってきたわけですから、気をつけなければならないと思います。

養老　少子高齢化を自然現象と言いましたが、人口の推移を長期的に見れば世界中が少子高齢化に向かっています。日本だけが特殊というより、日本が世界のトップを走っている。こういう状況を日本人はあまり考えたことがないので、自分たちでその状況をうまく解決するという前向きなモチベーションが少ない。ただ経済指標をつかって少子高齢化は具合が悪いと言っているだけです。

茂木　むしろ日本が先駆的に解決できる問題かもしれないですね。

養老　そろそろGDPなんて計るのをやめたらいいと思います。なぜ計る必要があるのか、もう一度考えてみてもいいということです。幸せですか。元気で生きていますか。それでいいじゃないかと思います。みんな好きなように生きていればいいんじゃないのかね。

ひとはなぜ戦争をするのか

養老　「ひとはなぜ戦争をするのか」というテーマで、アインシュタインとフロイトが往復書簡をしています（『ひとはなぜ戦争をするのか』）。第一次大戦と第二次大戦のあいだの一九三二年、ユダヤ系である二人がナチスから逃れて亡命する前に、アインシュタインが「いまの文明でもっとも大切な問い」について手紙を出し、フロイトが返事を書いた。

なぜ戦争はなくならないか。指導者が必ず戦闘に参加するような常識ができていたらよかったのでしょうが、そうはならない。あんたが死んでは困る、と進言する人が必ず出るからです。

茂木　ぼくがアインシュタインの生涯でもっとも関心があることの一つは、あれだけ平和主義者で、軍隊式の行進をしていたらそれだけでその人を軽蔑すると言っていた人が、原爆の製造において決定的に重要な意味を持つ書簡を時のアメリカ大統領に送ったことです。もちろん、原爆の元となった方程式も彼の考案です。ナチスによる原爆製造のリスクがあったとしても、アインシュタインという平和主義者の天才に、戦争と平和をめぐる人類の矛盾が凝縮されているように感じます。

東　精神科医の斎藤環さんが解説を書いていますね。「文化の発展が戦争の終焉をもたらす」というフロイトの答えを肯定的に捉え、「戦争放棄」の憲法九条に希望を見出すような内容になっている。でも、実際に戦争は起こりました。いまだと違う解説になるかもしれません。

茂木　ユヴァル・ノア・ハラリも戦争は終わったと二〇一五年に書いていました。完全に外れましたね。

東　二〇一〇年代はそういう時代でした。今後は、「平和の相互依存だけでは戦争は抑止できない」というところから始めないといけない。

養老　台湾有事が起こるとしたら、どういうきっかけでしょうかね。

東　ウクライナ戦争で専門家が驚いたのは、この侵攻でロシアにほとんど得がないと思われたことでした。得がないから侵攻には踏み切らないだろうと思っていたら、それでもロシアはやった。

茂木　ゲーム理論的に物事を捉えると、相互確証破壊（ＭＡＤ）のメカニズムなんて論理の生み出す地獄です。核兵器で先制攻撃されても、相手に壊滅的ダメージを与えられるだけの核戦力を保有することをもって核攻撃の抑止力にする、という話ですから、終わりのない絶望的なゲームでしかない。相互確証破壊で平和が保たれると考えるのは考えが幼いと言わざるを得ません。

「宇宙人がいるならなぜ連絡してこないのか」というフェルミのパラドックスがありますが、地球外生命体がなぜ見つからないかは、滅びるからだろうなと思います。

第九章　あいまいな社会

戦後の略歴

茂木　一九五一年にサンフランシスコ平和条約を結んで、翌年にそれが発効したことで、テクニカルに日本が主権を回復したわけですが、当時は「独立した」というような機運はありましたか。これも、経験の「地層」という意味での世代論の問題ですが。

養老　まったくないですね。安保反対はその頃からありましたけど、麻雀していて誰かが「安保」と言うと、別の誰かが「反対」と言うくらい。むしろ福井の地震のほうが印象に残っています。

東　朝鮮戦争（一九五〇－五三年休戦）の記憶はいかがですか。日本の戦後に朝鮮戦争が与えた影響はとても大きいと思います。軍をいちど解体したのに再軍備化したのも、サンフランシスコ平和条約を部分講和で受け入れ日米安保体制に入ったことも、この戦争なしには考えられない。せっかく平和憲法が与えられたのに、すぐ横で戦争が勃発し現実主義的にならざるを得なくなり、根本的な議論が吹っ飛んでしまった。いまに続くぼやんとした平和国家になったのは、そこで議論ができなかったことが大きいのではないでしょうか。

養老 朝鮮戦争ではずいぶん儲かったし。

東 それも大きいですよね。アメリカが核を使う可能性もありました。北もいちどは釜山近くまで侵攻してきた。日本でも危機感があったはずだと思うのですが……。

養老 学生だったからか、あまり危機感はありませんでしたね。

東 そうですか。共産主義を脅威だと思っていなかったからでしょうか。

養老 きっとそうですね。特に学生は左翼だから。

茂木 その頃は共産主義へのシンパがけっこういたのですか。

東 それはそうでしょう。

茂木 核の脅威といえば、キューバ危機（一九六二年）は覚えていますか。

養老 覚えていますよ。新聞が大きく書いてるなっていう。

東 ネットがない時代の感覚ですね。いまならば毎日ニュースが出てＳＮＳが大騒ぎになるはずです。

茂木 米ソの核戦争を描いたキューブリックの映画「博士の異常な愛情」は、翌年の六三年に公開されているんですね。やっぱり天才だなあ。あのようなコメディが、日本のお笑いの文化からは全く欠けています。人類の存亡の危機こそを、笑いによってメタ認知しなければならない。そうしないと、いざというときにまともな判断ができません。日本のお笑いは、自分たちで重要なことを判断しなくてもいいと思いこんでいる人たちの文化だと思うのです。

それから時代が流れて、ベトナム戦争はどんな感じだったんですか。

養老 べ平連（ベトナムに平和を！市民連合）がうるさかったという印象です。

茂木 三島由紀夫の割腹自殺事件（一九七〇年）はどうご覧になりましたか。

養老 司馬遼太郎が、あの演説を見ていた自衛隊の反応に対して、日本の社会は健全だと書いていましたが、同じような反応でした。僕も含め、いわゆる普通の人は「変な人だな」くらいに見ていたように思います。あれを大きな問題と捉えて騒いだのはインテリ層だけだったのではないでしょうか。

東 三島由紀夫は日本近代の歪みを正そうとした作家だと言われます。しかし所詮はインテリのあいだのゲームでしかなかったと。

養老 そう思います。だから冷めていた。

茂木 前にも述べたように、僕は生物学的年齢に基づく世代論にはあまり与《くみ》しませんが、何歳でそれを経験したかというのは大きいと思っていて。三島事件のとき養老さんは三三歳で、僕は小学校二年生で八歳でした。東さんは生まれていないですね。

東　僕は七一年生まれですから、生まれていません。

養老　三島事件より、むしろ連合赤軍のほうがひしひしと感じました。

茂木　あさま山荘事件が一九七二年ですね。テレビで立て籠もりの中継を見ていたのを覚えています。鉄球ががんがんぶつかっているところを学校から帰ってきて見ていたなあ。養老先生は大学の医学部で教員をされていた頃ですよね。

養老　そうです。行くところまで行ったな、という感じでした。

茂木　テルアビブ空港乱射事件も一九七二年です。

養老　まだやってるのかという感じでしたが、医学部では教授会に入ってきて机をひっくり返すような赤軍派のやつが現にいましたから、それどころではなかった。

茂木　あの頃はよど号ハイジャック事件（一九七〇年）も三菱重工ビル爆破事件（一九七四年）もあったし、いまから考えるとすごい時代ですよね。

東　丸の内で爆破事件が起こるなんて、いまではなかなか想像できない。

養老　この国は暴力手段を持つと絶対にそれをコントロールできないで振り回します

から。今回の防衛費増額の話も大丈夫かよと思います。

茂木 本当にそうですよね。文官が軍人をコントロールできるとは思えない。

東 ウクライナ戦争以降、「平和が大切」と言うとバカ扱いされる空気が出来てしまいました。軍事評論家や国際政治学者の発言がリアリズムであり、平和などと言うのはオールド左翼だという対決の構図が作られてしまいましたが、本当はいまこそみなで平和について考えるべきですよね。

養老 僕は「平和」ではなく「日常」と言っていますが、いちばん重要なのは日常だということが、この国では昔から通じていない気がします。

「いま、ここにいていい」と思えない社会

茂木 養老先生が戦後社会を受け入れてこなかったというのは重い発言のように思います。

養老 素直に言っただけですよ。なんでこんな世の中なんだろう、って。

茂木 何が違和感だったのですか。

養老 「なんかおかしいんじゃないの」という感じがいつもついてきました。それ

も、相手がおかしいというより、自分がうまく嵌まらないという感じです。政治家なんかを見ていると、「只今現在、存在していて当たり前」という顔をしていますが、そういうのがどうしても理解できない。どうして嵌まらないのかはよくわからないけど、「すいません、こんなところにいて」という感じになっちゃう。そういうのありませんか。

茂木　養老先生が不適応であるということですか。

養老　そうかもしれないですね。学校でも、家でも、どこでもそうでした。戦前のイデオロギーが確固として身についているわけでもないのでそちらに身を寄せることもできないし、戦後左翼の言うこともどう考えても現実的じゃない。そういうとき、俺が只今現在いるのはどこだ、ということの答えがない。ここにいていいんだ、と思えない。そんなことをいちいち考えずに、ここにいて当たり前と思えないわけです。東さんが言うように、戦後社会は安心感を与えない社会だったのかもしれませんね。

東　そう考えると、戦後民主主義下の日本では左翼がいちばん居心地がよかったのかもしれません。高度経済成長で人口はどんどん増え、年金も社会保障も心配する必要はなかった。核の傘に守られて安全保障についても考える必要がなかった。アジア諸国はまだまだ弱く、アジア唯一の先進国の地位は安泰だった。そんな前提のうえで、「日本は新しく生まれ変わった。これからは民主主義の国を作るのだ」とだけ言っていればよかった。

茂木　川端康成のノーベル賞受賞スピーチが「美しい日本の私」で、対して大江健三郎は「あいまいな日本の私」です。「あいまいな日本」って名コピーだなと思います。あいまいというのは、日本で生きる居心地の悪さも表しているような気がします。

養老　居心地悪いですね。

茂木　最近、森田草平[16]のことを読んだのがきっかけで平塚らいてうに行き着いて、いくつか読んでいたんですが、今の典型的なフェミニストとは違っているように感じました。「元始、女性は太陽であった」とか「若いツバメ」などのゆかりの言葉にも力があります。全体として、平塚らいてうのほうが女であることに肯定的であるような。夏目漱石は、平塚らいてうにインスパイアされて『三四郎』の美禰子を造型したようですね。フェミニストのあり方の違いも日本社会の変化によるのかもしれません。敗戦も大きかったし、朝鮮戦争も転換点だった。希望をもって戦後民主主義を語れた時代は短かったんですかね。

東　高度経済成長から冷戦崩壊と昭和の終わりまでくらいでしょうか。とはいえ、そのあとも日本はバブルがあったし、団塊の世代は強いまま、大きな変革もなくいまに来てしまっている気がするけれど。

茂木　意外と記憶が継承されていますね（笑）。共産党も、日本では共産党という名前のまま残っています。

養老　辺境だからじゃないですか。

茂木　逆に、敗戦を経ても変わらない部分はなんでしょうか。

養老　日常のあり方でしょうね。僕が「地震待ち」だというのはそのせいです。日常が壊れたら、変わらざるを得なくなりますから。首都直下型地震くらい来れば、平安時代が鎌倉時代になるような、江戸幕府が明治政府になるような、考え方がガラッと変わる可能性はあります。

16　森田草平（一八八一－一九四九）：小説家、翻訳家。夏目漱石の門下生の一人。一九〇八年、平塚らいてうと心中未遂事件を起こす。

茂木　それ以外では変われないということですか。

養老　変わったことがない、ということです。これだけ巨大なシステムを作ってしまうと、システムそのものを変更するのは難しいですから、天災で壊してもらうくらいしか方法がないのではないですか。コンビニに行けば食べ物が手に入る状況では、真剣に考えられないでしょう。

水、エネルギー、食料すべて自力で手に入れなくてはならない状況になると、どうしても日常生活そのものを一つ一つ、真剣に考え直さなきゃならなくなります。そういう人たちが増えてくると、貴族政治から武家政治に変わるくらいの変化が起こるかもしれない。

満州国がうまくいく道はあったか

茂木　なんでもチャラにしちゃうという日本人のマインドの特徴は、定期的に来る天変地異という偶有性への対処であるのかもしれないですね。とはいえ、改めて考えると、「鬼畜米英」をチャラにしてアメリカを受け入れた掌返《てのひらがえ》しは、けっこうすごいなと思います。

養老　子供の頃は「鬼畜米英」と聞いてもピンときていませんでしたが、後になってすごい言葉だなあと思いました。でも、なんで日本が中国に進出するのがあんなに気に食わなかったのか理解できません。

日本も満州国の建国で一休みできればよかったのでしょうが、盧溝橋まで行ってしまって日中戦争に突き進みました。多田駿[17]にせよ石原莞爾[18]にせよ、不拡大方針を取った人たちがどういう考えだったのか、もっと知りたいのですが資料がない。満州国がうまくいく方法はあったのでしょうか。

東　当時の日本としては、中国での権益をどう守るかを考えつつ、ロシアとの関係もなんとかしなくてはいけなかった。ただ、満州国として独立させるのは、やはり無理なアイディアだったのではないでしょうか。

養老　そうですね。

17　多田駿（一八八二－一九四八）：初代満州国軍最高顧問。日中戦争開戦後に参謀次長。戦線不拡大路線をとり、拡大派の東条英機と対立。一九四一年に陸軍大将となるも、二ヵ月で予備役に編入された。64ページも参照。
18　石原莞爾（一八八九－一九四九）：関東軍参謀として満州事変を計画、満州国の建国を指揮。対中戦線には不拡大を主張し、東条英機と対立する。一九四一年、第一六師団長を罷免。陸軍中将。

東　明治期の日本は欧米の支配的秩序に対して挑戦した。それには意義があった。それはそうかもしれないけど、結局は戦争に負けて、軍事的にはアメリカの支配下に置かれてしまった。その呪縛は八〇年近くたっても現在の日本を苦しめている。この結果がある以上、やはり戦前の日本は判断をまちがったのだと思います。

それはそれ、これはこれ

茂木　戦後民主主義の「左」の人たちは、アメリカの属国であることを心理的にはどう処理していたのでしょうか。

東　まったく処理していないでしょう。むろん言葉では安保反対とか叫んでいるけど、本当に廃止できるとは思っていない。ある意味で見ないふりだと思います。

茂木　見ないふりか。

東　昭和期にはまだ天皇制廃止や自衛隊解体を主張する人がいた。辻元清美さんが著書で皇室について「生理的にいや」と書いたことを、いまもときどき掘り返されていますが、辻元さんが過激だったというより、当時はそういう発言をする人がけっこういたんですよね。でも、いま思えば大方は考えなしで言っていたんだと思います。豊かだったから、言葉のゲームとして主張できたのでしょう。それが平成に入って変わった。

養老　いわゆる左翼と呼ばれていた人はナショナリズムを孕んでいますからね。西部邁[19]とか、正反対のほうにも進む。

茂木　「認知的不協和」という概念が認知科学であります。「日本は非武装中立である」と「米軍が国内に基地をもっている」、この二つは認知的に不協和なので、どちらかを否定するようになります。自衛隊不要論もその一つで、無理やりこじつけて解釈し直すことで自分の中で整合性を保つ。

東　しかし日本は、「それはそれ、これはこれ」という不協和を不協和のまま放置する国でもあります。

茂木　認知的不協和ですらないと。

東　自衛隊廃止論の人も、現実には災害が起きたら自衛隊が助けに来る前提で生活し

19　西部邁（一九三九－二〇一八）：社会経済学者、評論家。保守派思想で知られる。学生時代は東京大学自治会委員長として安保闘争に参加した。

ているんじゃないでしょうか。

茂木　認知的不協和でよく挙げられるのはイソップの「酸っぱい葡萄」です。手に入らなかった葡萄は酸っぱかったのだと思い込む。でも、日本人は葡萄がなくても気にしない。

東　そう。矛盾があっても気にしない。それはそれ、これはこれ。

茂木　どういう国民なんだ（笑）。

養老　最初に持ち出した問題ですね。言葉はどれだけ現実を規定できるか。

茂木　日本は物事と言葉の結びつきが弱いということですね。

東　俗流心理学的に言えば敗戦の傷ということになるんですかね。

変な世界から抜ける

茂木　普遍性というものを、人文学が不用意に自然科学から導入するとろくなことにならないと思うんです。物理学で素粒子の相互作用はどこでも同じに起こりますが、民主主義の形がどこでも同じはずがない。政教分離の仕方も、フェミニズムのあり方も全て違うはずなのに、アメリカがこうしているから、イギリスがこうしているからこうしましょうというのはおかしいですよね。

東　そう思います。自然科学は対照実験ができ反復性が確認できるから、ある主張が普遍だとか客観的に真だとか主張できる。人文学は対照実験ができないのだから、そもそもそんな主張ができないんですよ。全ての主張は個別の主張なんです。

茂木　でも、それがわかっていない人が多すぎる印象です。

東　初等教育から考え直すべきだと思います。

養老　そういう意味の普遍性では、自然に戻るしかないのではないですか。人が生きていくというところに降りるしかない。いまは、生きていくのに必然性がないので、一〇代の子供までが死ぬようになった。こんなのまともな社会じゃないですよね。一〇代の頃から生きることが普通じゃないって、変ですよ。

東　会社に就職してもろくなことがない、結婚してもろくなことがない、子供を産んでもろくなことがない……こういう愚痴ばかりが歓迎されるのがいまの日本社会ですね。

僕には娘がいます。彼女が産まれたときは嬉しくて、子供っていいよという話をあちこちでしていたのですが、いまは表立っては言わないようになりました。子供がいない人間への配慮に欠けると非難されるからです。これに限らず、いまの日本では喜びを共有するのが難しい。それ自体が残念なことです。

養老　生きることが大変なのは、頭だけで考えるようになってしまったからでしょう。しょうがないから子供を虫採りに連れて行くんです。「採らなくてもいいよ」って言って外へ出す。そういう変な世界から抜けて、一生懸命になれるものを見つけたらいい。

茂木　ずっと日本社会で馴染めなかったとおっしゃっていましたが、虫採りをしているときはそういうことも考えなくて済んだのですね。

養老　何も考えない。いまなりたいのは、黙って山に入って座っていると、鳥が頭に止まるという境地です（笑）。

宮﨑駿・庵野秀明・新海誠

茂木　「本気で生きていない」と養老さんが言う通り、日本のエンタメ業界が、タレント事務所への配慮とかくだらないことばかりやっている限り、アカデミー賞をとるような作品を本気で作っている世界の基準からはどんどん遅れていきます。

東　日本のアニメで考えると、ジブリからカラー、つまり宮崎駿から庵野秀明までは面白いと思うんですよね。彼らはひとことでいえば、自分たちでお金を集めて、好きなものを好きなように撮る人たちです。アウトサイダーですが、同時にグローバルな影響力をもっている。

けれども、そういう流れは続かないかもしれない。新海誠は個人制作でキャリアを始めた人ですが、いまや「すずめの戸締まり」に顕著なように、いろいろなところに大人の配慮をして「国民作家」になろうとしている。そうすると日本のアニメも、あまり尖ったものは作れなくなるかもしれない。

茂木　やはり中枢にいないほうがいいね。端っこで自分で好きにやっている人のほうが幸せそうに見える。

東　そういう余裕がいまの日本にはなくなってしまったのかもしれません。

茂木　しかし宮﨑駿・庵野秀明路線というか、驚くようなオリジナリティは、ジャニーズ事務所に忖度するような環境からは絶対に出ないよね。

「なかったこと」にできる救い

東　日本の「それはそれ、これはこれ」文化が変わるのかどうか、変わるべきなのかどうかも、本当は考えると難しい。僕個人は好きではないですが、それも人類の一つの思考の形だからです。

人のトラウマへの接し方には、「抑圧する」と「解離する」の二つのモデルがあると言われます。ヨーロッパ人は抑圧し乗り越えるタイプの処理が好きです。ヘーゲルの弁証法というのは、要は「友がいて、敵がいる、だから戦ってどっちかが勝利者になる」というモデルです。勝者は敗者を抑圧し、その傷を乗り越えることでいっそう強くなる。けれど、「友がいて、敵がいる、だから関わらないようにする」という解離による処理もあり得るわけです。

いずれにせよ、いまはなにか問題にぶつかると、「なかったことにはしない」乗り越え系の発想を取る文明が強い。だからそちらがグローバルスタンダードに見えますが、巨視的に見れば、「なかったことにする」解離系の文明もいろいろあったのではないか。

茂木　それは良い面もあると思いますが、確実に作品のクオリティに影響を与えていると思います。歌舞伎なんかも解離性の思考を感じます。面白いけど、芸術としての完成度としてはどうなんだろう……。

東　解離的な思考パターンは物語を作るのが苦手ですから、大きな物語が弱い。日本はそうですね。

茂木　じゃあ俺は解離性クラブに属していないんだ。自分のなかで面白いものと面白くないものがあって、その違いを考えている。

東　子供時代につらいことがあったとする。いまの世界は「なかったことにする」のを許さないので、「乗り越える」ために自分のトラウマと向き合い、社会を変えるために声をあげることを迫られる。それは本当に幸せなのか。人間は時として、不条理なことや不運なことに見舞われます。それについて常に問題意識を持ち続け、社会を改革しなくてはいけないのだ、というモデルを標準とすることが、全ての人にとって幸せなことだとは思えない。

養老　もう考えただけで疲れます。

東　そういうときに解離モデルはオルタナティブを提供すると思います。

茂木　それには全く同意します。でもここでは一人ひとりに対してではなくて、悪い構造がそのまま放置されていて、そこでエンタメが作られていると称しているところに、俺は違和感があるということです。人間性に反するようなやり方の組織を忖度で放置するような価値観が嫌いだし、そういう組織が作る文化は全くくだらないし、面白くない。そういう人間観は番組の背後に透けて見えるからです。そういうものがクソだということは意見として言い続けたい。これは俺の個人的な意見ですが、ただ俺と同じ価値観の人は世界中にたくさんいるんですよ。

大江健三郎さんの思い出

東　大江健三郎さんが亡くなったというニュースが飛び込んできました。

茂木　あの人だけは「左」と言われる人たちの中でもちょっと違う気がしていましたが、何が違ったのか解明できないまま亡くなってしまった……。

養老　僕が大江さんの本でいちばん影響を受けたのは『死者の奢り』です。あの本が出てから、大学に「バイトありませんか」って電話がかかってくるようになった（笑）。

茂木　影響ってそっちのほうか！　大学医学部で、アルコール水槽に保存されている解剖用の死体を新しい水槽に移し替えるというバイトですね。

養老　都市伝説として定着しちゃったみたいで、そういう電話は僕が大学を辞める年にもまだありました。

東　本当にああいうバイトがあったんですか。

養老　ないですよ。あれは、人類学者のバイトの話と混ざっちゃったのだと思います。朝鮮戦争では、38度線で休戦するまで戦線が行ったり来たりしました。アメリカ軍は、前線が後退しそうなときにはその場に遺体を仮埋葬しておき、前線が戻ったら掘り起こして後方、朝鮮戦争の場合は福岡の基地に送るということをやっていました。死体には認識票がつけられるのですが、当然ながら認識表がない遺体もあった。そういう遺体を人類学者が調べて、人種や身体的特徴を書類にして、米軍に送り返す。それが当時としては報酬のいい仕事だったみたいで、それと混ざっているのだと思います。

東　いまの文化人類学からは想像できないですね。

養老　当時は博物学的な人類学でしたからね。

茂木　僕は大学生のとき、駒場の人類学教室で頭蓋骨を測られましたよ。東さんは僕の九歳下ですが、測られなかった？

東　記憶にないです。

養老　僕は医学部で測られた。

茂木　東さんのときにはもう文化人類学寄りになっていたのかもしれませんね。

養老　それでね、米軍が死体を運んだ死体袋が、米軍放出品として上野のアメ横に出るんです。僕らはそれを買って、山に行くときに寝袋として使っていました。そのへんに血の跡がついていたりするんだけど。

茂木　すさまじい話だなあ。

養老　テントなんかも買いましたが、穴が空いていたりして。「このテントは星が見える」って言いながら使ってた。しかも軍用ですごく重い。

茂木　時代のリアリティがありますね。そうか、アメリカ横丁で「アメ横」なんですよね。

養老　朝鮮戦争の思い出はそんなものですよ。

茂木　死体袋を寝袋に、穴の空いたテントで星を見る。

養老　長生きするわけだね。それでも生き延びていくんだから。

第〇章　地震

大地震が来たら

養老　ＮＨＫで「西の半割れ」をテーマにした、南海トラフ巨大地震が来たら何が起こるのかを描いたドラマ仕立ての番組をやっていました。和歌山県沖で地震があった場合、関西一円、瀬戸内一円で震度7だそうです。当然それだけでは済まなくて、それに伴ってあちこちの活断層が連動する可能性もあるし、東側にもいずれ来ます。東南海地震もずっと来ると言われているし、南海トラフと連動して起こるかもしれない。首都直下型地震や富士山噴火が連動する可能性もある。

茂木　前回の東南海地震は一九四四年ですが、覚えていらっしゃいますか。

養老　覚えていないです。戦争中でしたから、報道管制で、そういう景気の悪い話はしなかった。

東　Ｍ７・９で、相当大きな地震だったようですね。

養老　そうらしいですね。

茂木　養老先生がお生まれになったのは関東大震災の一四年後ですが、名残はありましたか？

養老　全くないです。でも母の話は聞いたことがあります。大震災の日は横浜の本牧に泊まっていて、歩けなくて庭に出られなかったそうです。ただ、その旅館がなぜか虎を飼っていて、なんとか庭に出たら虎がうおーと吠えていたと言っていました。

茂木　関東大震災もM7・9と言われていますね。一九二三年だから、今年でちょうど一〇〇年か。

養老　日本の場合は天変地異がしょっちゅう起こるので、起こった後にどう復興するかに賭けたい。NHKの番組によれば、大阪では津波が川をさかのぼって梅田まで入ってくるそうです。そうなったら大阪は壊滅します。もちろん東京にも同じことが起こる可能性が十分ある。大事なのは、その後どういう社会をつくるかということです。報道では災害による損害ばっかり言うけど、災害の後すぐに起こるのは復旧です。

具体的な課題で考えると、例えば東海地震が来たら新幹線はダメになります。浜松あたりが津波をかぶるだろうし、新丹那トンネルも断層でズレるかもしれない。そのときに、復旧するかどうか。あんなもんやめたとするのか、どうしても元に戻すのか。

東　新幹線は戻すしかないでしょう。リニアはこれを好機と工事を中止するかもしれませんが。

養老　都内のビルだってどのくらいもつかわかりません。震度7の地震が一度しか来ないとは限らないわけで、二度三度来たときに、本当に耐えられるのか。

被害によっては、いまのような生活を続けるのは無理になります。小さな自給自足の集団を日本中に置いていくしかない。でも島根県や鳥取県の可住地面積あたりの人口密度がヨーロッパと同じくらいで、日本では過疎と言われている地域でも世界基準で見たら標準です。つまり人口もかなり減らないと、小さな自給自足の社会はやっていけないかもしれない。

復興資金はどこから調達するか

東　その通りだと思います。しかし、そうなってしまうと、強い隣国に依存することになりそうです。たとえば中国。

養老　外側で見るとそういうことになりやすい。どのくらい金を必要とするのかにも関係してきます。

東　現実的に考えても、人も減り、金もなくなり、小さい社会しかないという状況になったら、外国人がどっと移住してきそうですが……。

養老　そうですね。食料がない、エネルギーがない、となったら買わなければなりません。それが今年のように食糧難だ、エネルギー不足だ、円安だというときだと余計にお金がかかる。そのときに大きな額を日本に投資してくれる国があるとすれば、アメリカは時間がかかるでしょうから、おそらく中国です。

東　つまり、すごく要約すると、日本は天災によって実質壊滅し、中国の属国になることによって新しく生まれ変わるしかないのではないか、というのが養老さんのお考えでしょうか。

養老　そうですね。つまり属国とはなにかという問題です。中国の辺境は昔からたくさんあったわけで、今でも中国がないと成り立たないという状況を作ってしまえば、それは中国の一部であるのと同じことですから。政治的にどうレッテルを貼るかの話でしかない。

東　いまはそういう意見は反発が大きいかもしれませんね。

養老　みんな不愉快かもしれないけど、いちばんありうるシナリオです。明日食べるものに困っているときに「中国のお金を受け取るべきじゃない」と言っても誰も聞きませんよ。背に腹は代えられないというのはそのことです。

東　われわれは災害の起こる国に住んでいる。だから、なるようになる、という考え方しかもてない。そんなわれわれの行く末は属国しかない。それが結論ということになりますが、それでいいのでしょうか。

養老　（笑）

茂木　アメリカの属国の次は中国の属国になると。

養老　独立とはなんだという話ですよね。

東　憲法九条と同じように、「独立」も解釈で乗り越えるのだと。

茂木　たしかに憲法九条はアメリカの属国である実態を表しているものだから、その実態が変わらないなら変えなくてもいいのかもしれないですね。養老先生がおっしゃるように、その実態に政治的に「平和主義」というレッテルを貼っているだけで。

東　現実に日本国内には、主権者である日本国民がコントロールできない外国の軍事基地がいくつもある。ロシアが北方領土を返さないのも、要は米軍基地が北方領土に作られる可能性があるからです。東京上空ですら横田基地の管理下にあって、羽田や成田に行く飛行機のルートも制限されている。ある意味、既に「独立」の意味は変えられているのかもしれません。

対中政策はそれでいいのか

茂木　いまでもよく覚えているのは、森喜朗さんが首相で、皆から「サメの脳」だとか言いたい放題言われていたとき、養老先生が「茂木くん、昔はああいうことは言わなかったものだよ。外交ってものがあるからね」とおっしゃったことです。いくら反対することがあっても、一国の首相は国益を代表して外国と折衝する立場である以上、そこまでバカにすることはないんだ、と。

さすがだなと思ったんですが、それは東さんが言った「忘れる」ということにも関係する気がします。例えば大地震が起きたら中国から経済的支援を受けざるをえないかもしれないのだから、対中強硬策と言ってもほどほどにしようね、というのも、一つの「忘れない」ということですよね。

東　それは、鈴木宗男氏が言うように、ロシアはずっとあの位置にあって、基本的に付き合っていかなければならない国なのだからウクライナに全振りしている場合じゃないという話にもつながりますね。僕は鈴木氏の戦争理解は間違っていると思いますが、言いたいことはわかる。短期的な善悪とは別に、長期的なオプションもしたたかに抱えておかなくてはいけない。

茂木 本当にそうだよね。

東 でも、日本はそういうのこそ苦手な国なんですよ。

茂木 実際には、日本はアメリカのような軍事力があるわけでもないし、もはや経済も弱いし、条件としてはあまり偉そうなことは言えない国なんですよね。絶対的な何かをもっているというより、どこともうまくやっていかないと生存が難しい。

話は少しずれますが、僕が出会ったときには養老先生は東大医学部の現役の先生でしたが、養老先生が偉そうだったことが一度もないんですよね。イデオロギーで生きていないからなんでしょうか。例えばいま、人工知能の研究者とか、なんでそこまで偉そうなのっていう人が多いですよ。とりわけ、アメリカで人工知能やっている人たちって、俺たちが世界をつくる、みたいな勢いがある。サム・アルトマンとか、本当のトップは案外謙虚なのですが。養老先生は、なぜ謙虚なのか？

養老 知らないよ（笑）。別に何も変わりないですよ。

デフレの根本は環境問題にある

東　養老さんは気候変動についてはどうお考えですか。人間の影響を上回るくらい地球の回復力が強いという説もありますが。

養老　ガイア仮説ですね。地球自体が生き物で平衡を回復しようとする力があるというものですが、どのくらいのスパンでものを見るかにもよるので、簡単に考えられるものではないと思います。

なので日本に限って考えてみると、日本は三〇年も経済が停滞していると経済学者はみんな言います。理由として総需要の不足が挙げられるわけですが、僕は環境問題が根本にあると思っています。もう作らなくていい、壊さなくていい、という暗黙の民意が内需を不足させているんじゃないか。

経済学者はいつもグラフをもってきて、ドイツは何パーセント、アメリカは何パーセント成長したのに日本はまったく成長していないと言う。そんなこと言うなら、停滞していた分、二酸化炭素排出量も環境負荷も抑えられたんだから、もっと日本は褒められてしかるべきだと主張すればいい。

茂木　デフレの根本に環境問題があると。

養老　それを含めて解消するとしたら、天変地異しかないだろうと。人間は生きていかなければいけないから、必要最小限のことをやっていく。そのためにどういう環境が必要か、考え直すのにちょうどいい機会になるでしょう。

虫が減ると人間も減る？

養老　一九九〇年から二〇二〇年の三〇年間に、世界中で昆虫が八割から九割減りました。世界中例外なくです。ある程度きちんとしたデータがあるのがドイツの自然保護区で、これはつまり、木があるとか開発から守っているとかは、昆虫の保全と全く関係ないということを意味している。

東　それは種の数ではなくて、バイオマス[20]的な話ですか。

養老　そうです。トラップで採って算出しています。こういう問題は片付けようがないので、この先大丈夫かなと思います。

東　それは心配ですね。

養老　なぜ虫が減るという話をしたかというと、現在のような考え方で世界を運用していくのは無理があると思うからです。

子供が生まれないのと虫が減るというのは原因が同じだろうと思っています。ただ、いまの科学はそこを結びつけて考えられるようになっていないので、バラバラの現象だということになっている。虫が減るなら人間も減って当たり前だろうと思うけど、そういうふうには言われない。これを解消するには、別の社会をやってみるしかない。それが日本でできればいいなと思っています。地震の後、日本だけ虫が増えてるよ、みたいに。いま住んでいる人を説得してどうこうできるとは思えないので、天災のようなものに賭けるしかないと思っています。

茂木 養老先生は一貫して、言葉より身体性のようなものに重きを置かれていますよね。マーク小西さんというメンフクロウの研究をしている人がいらっしゃいました。その研究室だけがフクロウの繁殖に成功していて、その理由がみんなわからなかったのですが、結局、食べても残るくらいに大量に餌をあげることが繁殖のトリガーだった。それ以外の大事そうな要因、例えばケージの形状だったり照明条件だったり

20 バイオマス：ある時点に一定空間内に存在する生きた生物体の量。重量ないしエネルギー量で示す。

はあまり関係なくて、フクロウがたくさん食べても餌が残るようにすると繁殖するようになるそうです。

人間にもきっと、そういう単純なところがあるんじゃないかと思います。養老先生のおっしゃるように、虫が増えるような環境を考えることの中に、良い方向に変わるトリガーがあるかもしれません。

日本の歪みは、虫が直すんだとしたら、それは意外だけれども、複雑系のバタフライエフェクトに満ちた結論かもしれない。バタフライはまさに虫だし（笑）。

おわりに

経済のグローバル化、気候変動、ジェンダー、メディア、民主主義。世界は複雑である。社会事象も、歴史も、簡単には割り切れない。もちろん、「イデオロギー」などを通しては把握できるはずがない。私たちは近年、そのことを痛感してきた。

「複雑系」の科学は、単純ではない世界の実相を照射した。ブラジルの熱帯雨林の中で蝶が羽ばたくといった小さな事象が、テキサスでトルネードを起こすという「バタフライエフェクト」となる。決定論的な世界にさえ存在する不確実性が、近代的科学観を揺るがして、世界的なブームとなったのは一九九〇年代のことである。

日本出身でアメリカで活躍する眞鍋淑郎さんが、複雑系の研究で知られるジョルジョ・パリージさんらとノーベル物理学賞を受けたのは二〇二一年のこと。気象の研究の過程で見出された複雑系の力学は、科学においては定着して一つの「常識」となった。しかし、世界は簡単には割り切れないという複雑系の考え方は、世間一般では必ずしも人々に浸透していない。

批評家、脳科学者、そして解剖学者。この「鼎談」に集まった三人に共通することがあるとするならば、世界を単純に割り切ってわかりやすく把握することを拒否していることかもしれない。つまりは複雑系の科学を生きている。現代においては必ずしも流行りのやり方ではない。実際、この本から明らかになるように、三人はそれぞれ居心地の悪さ、生きにくさを感じている。

本来割り切れないものを単純な物語にする。そのことで物事は進むかもしれないけれども、思わぬ影響を受けるのは人間の心である。日本の近代化は、さまざまな「無理」を重ねて行われてきた。ペリーの黒船来航から始まる、「坂の上の雲」を目指して日本が駆け上がった「明治維新」という物語。そして、敗戦からの経済復興という、今日まで続く戦後日本のあり方。これらの道筋を日本人の勤勉がもたらした「奇跡」として称賛する公式的な歴史観がある一方で、私たちはさまざまな矛盾を抱えてきた。

英語を学ばなければならないという圧迫。「グローバルスタンダード」という名の押しつけ。近代化の中で、切り捨ててきた自分たちのアイデンティティ。この本では、私たち日本人がともすれば単純に割り切ってきた、いや割り切ろうとしてきたさまざまな問題を、その一筋縄では行かない複雑さにおいて、捉え直そうとした。

鼎談者の一人、養老孟司さんの『バカの壁』は、なぜ四五〇万部のベストセラーになったのか。明治維新の割り切れなさをいわば一人で背負ったともいえる西郷隆盛と養老さんの意外な類似点。カントの定言命法に内在する脆弱性は、日本のアイドル文化の隆盛といかに結びつくのか？　「鬼畜米英」からアメリカ文化称賛への急激な変化はどのように可能になったのか？　憲法九条と現実を日本人は果たして整合させてきたのか？　やがてくる自然災害は、新しい日本の誕生に結びつくのか？　「日本の歪み」を解きほぐすヒントが、本書にはある。

世界の複雑さに向き合うためには、一人ひとりの人間の内面の複雑さで対抗するしかない。鼎談者はそれぞれやっかいな内面を抱えつつ、日本の近代の問題に向き合い、お互いの言葉に耳を傾けた。時にすれ違いや齟齬もあるなかで、結果として、日本の歪みに対するにふさわしい、滋養のある本になったと自負している。

日本がこのところ感じてきた「行き詰まり」や、「生きにくさ」の一部分は、この本で私たちが向き合ってきたいくつかのもつれた糸にその原因があるように思う。無意識の中で押さえつけられている思いは、私たちの行動を知らず知らずのうちに不自由にする。鼎談を通して意識化され、言語化された「日本の歪み」をめぐるさまざまなことが、読者にとっての心の「解毒剤」となり、これからの日々をより自由に、そして前向きに生きる上でのヒントになったら、これ以上の幸せはない。

ともすればカオスとなり、深い淀みに引き込まれそうにさえなる精神の「三体」運動を、講談社現代新書編集部の西川浩史さんと、ライターの今岡雅依子さんがうまく整理して、道筋をつけてくださった。お二人に心から感謝する。

茂木健一郎

講談社現代新書　2719

日本《にほん》の歪《ひず》み

二〇二三年九月二〇日第一刷発行　二〇二四年三月八日第七刷発行

著　者　養老《ようろう》孟司《たけし》　茂木《もぎ》健一郎《けんいちろう》　東《あずま》　浩紀《ひろき》

発行者　森田浩章

発行所　株式会社講談社

東京都文京区音羽二丁目一二―二一　郵便番号一一二―八〇〇一

電　話　〇三―五三九五―三五二一　編集（現代新書）

〇三―五三九五―四四一五　販売

〇三―五三九五―三六一五　業務

装幀者　中島英樹／中島デザイン

印刷所　株式会社ＫＰＳプロダクツ

製本所　株式会社国宝社

定価はカバーに表示してあります　Printed in Japan

N.D.C.362　269p　18cm

ISBN978-4-06-531405-0

「講談社現代新書」の刊行にあたって

教養は万人が身をもって養い創造すべきものであって、一部の専門家の占有物として、ただ一方的に人々の手もとに配布され伝達されうるものではありません。

しかし、不幸にしてわが国の現状では、教養の重要な養いとなるべき書物は、ほとんど講壇からの天下りや単なる解説に終始し、知識技術を真剣に希求する青少年・学生・一般民衆の根本的な疑問や興味は、けっして十分に答えられ、解きほぐされ、手引きされることがありません。万人の内奥から発した真正の教養への芽ばえが、こうして放置され、むなしく滅びさる運命にゆだねられているのです。

このことは、中・高校だけで教育をおわる人々の成長をはばんでいるだけでなく、大学に進んだり、インテリと目されたりする人々の精神力の健康さえもむしばみ、わが国の文化の実質をまことに脆弱なものにしています。単なる博識以上の根強い思索力・判断力、および確かな技術にささえられた教養を必要とする日本の将来にとって、これは真剣に憂慮されなければならない事態であるといわなければなりません。

わたしたちの「講談社現代新書」は、この事態の克服を意図して計画されたものです。これによってわたしたちは、講壇からの天下りでもなく、単なる解説書でもない、もっぱら万人の魂に生ずる初発的かつ根本的な問題をとらえ、掘り起こし、手引きし、しかも最新の知識への展望を万人に確立させる書物を、新しく世の中に送り出したいと念願しています。

わたしたちは、創業以来民衆を対象とする啓蒙の仕事に専心してきた講談社にとって、これこそもっともふさわしい課題であり、伝統ある出版社としての義務でもあると考えているのです。

一九六四年四月　野間省一